Communiquer efficacement

Développement personnel et efficacité professionnelle

Communiquer efficacement
Pour comprendre les autres et se faire comprendre

Édition 2010, 5ᵉ tirage janvier 2014

Ouvrage conçu et réalisé sous la direction de Catherine FOURMOND

Auteur :
Guillaume LEROUTIER

Suivi éditorial : GERESO Édition
Conception graphique et maquette intérieure : OKAPARKA - Le Mans - France
Illustration de couverture : © Knape/Istockphoto.com

© GERESO Édition 2010
26 rue Xavier Bichat - 72018 Le Mans Cedex 2 - France
Tél. 02 43 23 03 53
Fax 02 43 28 40 67

www.gereso.com/edition
e-mail : edition@gereso.fr

Dépôt légal : octobre 2010
ISBN : 978-2-35953-016-2
EAN 13 : 9782359531167
ISSN : 2101-1087

GERESO SAS au capital de 160 640 euros - RCS LE MANS B 311 975 577
Siège social : 28 rue Xavier Bichat - 72018 Le Mans Cedex 2 - France

Dans la même collection :

- Calculez votre quotient d'intelligence relationnelle

- Conclure une vente

- Donnez du sens à votre management

- Ê.T.R.E. enfin soi-même

- Être recruté

- Le dirigeant et son équipe de manager

- Le manager au quotidien

- Le manager de proximité

- L'évaluation professionnelle

- Manager, un métier à découvrir

- Managers, gérez vos ressources humaines, votre temps et vos priorités

- Osez vivre votre retraite !

- Prendre la bonne décision avec la méthode des 4 Éléments

- Prendre la parole en public

- Quand prendre la parole devient facile

- Réussir vos entretiens

www.la-librairie-rh.com

Dans la même collection (suite):

- Réussir vos entretiens professionnels

- Réveillez le créateur qui sommeil en vous!

- Tous formateurs!

- Vers un leadership créatif, efficace et humain

Signification des pictogrammes

 Métaphores, images illustrant un développement

 Exemple : application pratique, illustration chiffrée...

 Outils, clés pour optimiser sa communication

 Apport essentiel des théoriciens de la communication

À mes parents.

« Quand les astrophysiciens découvrent une nouvelle étoile dans le ciel, cela ne signifie pas qu'elle est apparue à ce moment précis dans l'univers mais seulement dans la conscience de quelques hommes. Ce n'est donc pas tant une nouvelle étoile qu'ils ont découverte mais bien plus leur propre capacité à découvrir. »

SOMMAIRE

Introduction

Communiquer, c'est notre réalité de tous les jours.

Et pourtant, même si nous sommes baignés dans cette réalité constamment, cela ne signifie pas que nous la maîtrisons parfaitement, loin de là ! C'est une réalité toujours en mouvement. Et il est vrai qu'à défaut d'être ce que l'on fait le mieux, communiquer est ce que l'on fait le plus.

Être plus disponible, à l'écoute, capable de cerner les véritables besoins de nos interlocuteurs et de nous adapter à leur style de communication, faire preuve de cohérence et de respect sont quelques-unes des qualités que notre quotidien tant personnel que professionnel nous incite à développer.

Ainsi, prendre pleinement conscience qu'il existe plusieurs façons pour expliquer, influencer, convaincre, négocier, résoudre des problèmes, dépasser des conflits, nous aidera à être le plus efficace possible vis-à-vis de nos interlocuteurs.

Nous possédons tous naturellement des facultés de communication. Il est évident que selon notre histoire de vie, nos rencontres, nos choix, nous les avons plus ou moins développées.

La bonne nouvelle, c'est que communiquer s'apprend et améliorer sa communication est un défi possible à relever.

Pour optimiser nos talents de communicateur-né, il devient alors précieux de posséder des clés de compréhension et d'action qui nous permettent de développer plus souvent et plus solidement de véritables relations gagnant gagnant avec les autres.

Être un bon communicateur, c'est un peu comme être un bon agriculteur qui sait qu'il n'est pas suffisant de posséder une terre fertile pour en récolter les bénéfices, mais qu'il est également nécessaire d'en prendre soin pour qu'elle devienne productive.

Ce livre s'articule autour de trois chapitres qui, ensemble, ont pour objectif de donner une vision aussi claire que possible des ingrédients nécessaires à une communication saine, efficace et constructive.

La première partie, « Pourquoi communiquons-nous ? », pose le décor en mettant en relief les éléments qui font de nous des êtres communicants/relationnels.

La deuxième partie, « Comment communiquons-nous ? », prend le temps de mieux cerner la complexité du phénomène « communication » en livrant l'essentiel des différentes approches qui apportent chacune des clés pour mieux comprendre de quoi est fait l'acte de communiquer et aident ainsi à élargir notre perception de notre propre communication envers les autres, et des autres envers nous-mêmes.

La troisième partie, « Comment optimiser notre communication ? », est la partie la plus pratique. Elle propose des lignes directrices et des outils qui ont pour but de rendre possible l'amélioration de notre impact auprès d'autrui.

C'est un livre que j'ai écrit avec enthousiasme sur un sujet qui me passionne depuis toujours, pour un public le plus large possible. J'espère qu'il répondra à vos attentes.

« *Nous sommes des êtres relationnels : on ne peut se penser soi-même en termes scientifiques : "Je suis triste ce soir parce que la sécrétion de mes catécholamines s'est un peu abaissée." On ne peut se penser en termes de circuits cérébraux ou de sécrétion ou de neuromédiateurs. Mais on possède une grande aptitude à se penser en termes d'histoires, d'événements vécus, d'émotions, de mythes. Nous nous posons en tant que sujet de mythes et non en tant que sujet de sciences.* »

B. CYRULNIK

PREMIÈRE PARTIE

POURQUOI COMMUNIQUONS-NOUS ?

Chapitre 1

Nous sommes des êtres de relation

Sensibilité et identité

Ce qui fait de nous des êtres vivants, c'est la sensibilité qui nous anime. Si nous n'étions pas sensibles à ce qui nous entoure, nous serions inertes et inanimés. Nous ne ressentirions rien, nous n'aurions aucune vie intérieure et n'aurions ni besoin ni désir d'entrer en relation avec notre environnement. Cette dimension sensible de l'être humain est un élément essentiel de la communication. Elle nous permet d'être et d'agir avec le monde qui nous entoure et fait de nous des êtres relationnels.

Cette faculté relationnelle innée qui se fonde sur notre sensibilité naturelle ne nous empêche pourtant pas de rencontrer des difficultés pour échanger avec les autres. Notre sensibilité est notre force et notre *talon d'Achille* en même temps car elle fait de chacun d'entre nous des personnes potentiellement vulnérables. En effet, notre sensibilité naturelle implique la possibilité, suite à une agression verbale par exemple, que nous nous sentions atteint et blessé personnellement. Cette « empreinte » douloureuse peut engendrer l'émergence d'états intérieurs tels que :

- le rejet ;
- l'isolement ;
- l'incompréhension ;
- la colère ;
- la frustration ;
- le sentiment de perdre ses moyens ;
- se sentir démuni ;
- l'injustice ;
- l'infériorité ;
- la culpabilité...

Dans ces cas-là, il est clair que notre désir de communiquer, fondé sur notre besoin d'être en relation, se trouve diminué. Et cela peut aboutir à :
- un repli sur soi ;
- une dépression ;
- ou, au contraire, à des réactions d'agressivité et d'hostilité.

La communication est donc un acte qui engage notre sensibilité et notre personnalité.

C'est ce qui fait que notre identité se construit et s'actualise dans notre relation avec les autres.

L'idée de qui l'on est n'est donc pas innée. La conscience de soi s'élabore au fil de nos expériences. Nous apprenons à nous connaître dans la relation à autrui.

Par ailleurs, l'être humain est doué de la pensée et de la parole. Ces deux facultés sont intimement reliées dans le sens où la parole permet l'expression de la pensée, des sensations et des sentiments.

Lorsque nous sommes enfant, c'est notre faculté d'imitation qui nous permet de nous développer et favorise notre croissance. L'enfant ne peut donc apprendre à parler tout seul, il a besoin d'un environnement qu'il entend parler et qui l'encourage à parler.

Ainsi, la façon dont notre environnement nous stimule pour exprimer avec des mots nos besoins, nos désirs, nos pensées, nos sensations et nos sentiments contribue à bâtir une compréhension cohérente de nous-mêmes et du monde.

Si l'identité, d'une façon générale, concerne l'ensemble des référents externes d'identification tels que le nom, l'âge, le sexe, la profession, les appartenances culturelles, religieuses, sociales, elle est aussi une réalité psychoaffective reposant sur les sentiments d'unité, de cohérence interne et d'estime de soi qui fondent le sentiment d'être et d'exister.

La qualité du développement de notre personne s'appuie ainsi sur la maturation progressive de notre sensibilité. Et cette maturation se réalise grâce à la qualité des relations établies avec autrui.

Cela signifie que notre « image de soi » se bâtit au fil du temps et qu'elle est déterminée par la façon dont nous avons intériorisé les messages positifs et négatifs de nos différents environnements de vie, à commencer par ceux de notre enfance.

Expérience et communication

« L'expérience n'est pas ce qui nous arrive.
C'est ce que nous faisons de ce qui nous arrive. »
ALDOUS HUXLEY

À 19 ans, j'ai pris une décision : m'offrir un premier voyage qui me permettrait de découvrir le monde (au moins une partie !) par moi-même. J'étais déjà parti à l'étranger avec mes parents mais là, ce serait différent : je devrais me débrouiller seul, décider de mes destinations, de la façon de m'y rendre et de la gestion de mon budget. Je fis ce voyage lors de l'été 1988 et il me conduisit de Salt Lake City à Los Angeles aux États-Unis.

Qu'ai-je appris de ce voyage ? Que je pouvais le faire, que j'étais un bon compagnon pour moi-même, capable d'aller vers des personnes d'une culture différente, de communiquer avec elles et d'apprendre à leur sujet. Par ailleurs, il m'a donné le goût de continuer à voyager et à découvrir d'autres pays et d'autres cultures.

Ainsi, depuis la naissance, nous sommes confrontés à des situations très diversifiées qui sont autant d'expériences d'apprentissage. Nous avons appris à manger, parler, marcher, lire, écrire, étudier, socialiser...

Cela signifie que nos capacités d'adaptation sont mobilisées depuis toujours. Aujourd'hui, nous utilisons toutes ces expériences comme des points de référence pour réaliser mille et une choses :
• rédiger une lettre ou un CV ;
• animer une réunion ;
• utiliser un logiciel ;
• diriger une équipe ;
• organiser son temps de travail ;
• comprendre une notice explicative ;
• voyager ;
• apprécier un plat exotique...

Et nous réussissons ces actions avec plus ou moins de succès, selon la qualité de nos apprentissages antérieurs qui agissent comme des « points d'ancrage » plus ou moins aidants. Notre degré de motivation, notre humeur et notre état d'esprit déterminent également la qualité du résultat obtenu.

Les schémas suivants montrent le lien qui existe entre une expérience initiale et la façon dont nous vivons les expériences de même nature plus tard dans le temps.

Expérience négative :

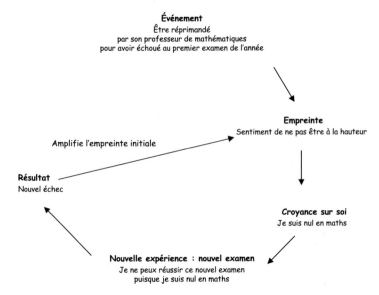

Expérience positive :

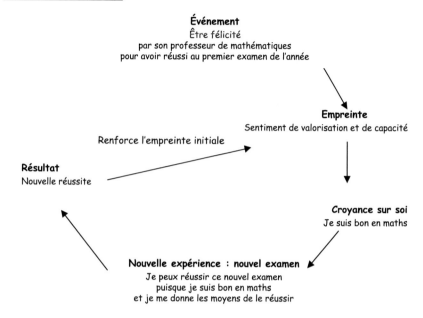

Événement
Être félicité
par son professeur de mathématiques
pour avoir réussi au premier examen de l'année

Empreinte
Sentiment de valorisation et de capacité

Renforce l'empreinte initiale

Résultat
Nouvelle réussite

Croyance sur soi
Je suis bon en maths

Nouvelle expérience : nouvel examen
Je peux réussir ce nouvel examen
puisque je suis bon en maths
et je me donne les moyens de le réussir

Ces deux scénarios montrent qu'il y a un lien direct entre la façon dont nous intériorisons un message d'autrui (empreinte et croyance) et ce que nous faisons par la suite. Et cela induit un certain type de résultat.

Par ailleurs, vous remarquez que l'empreinte et la croyance sont des processus inconscients, c'est-à-dire que la grande majorité du temps ils échappent à notre contrôle conscient. Des « schémas de référence » se forment ainsi au fil de nos expériences d'apprentissage hors de la portée de notre conscience. Tout cela se déroule très vite dans notre esprit.

Une fois le schéma en place, il agit comme un « programme » qui se réalise de lui-même dès que nous sommes confrontés à une expérience similaire à l'expérience initiale qui avait créé une empreinte signifiante.

Bien sûr, d'autres scénarios sont possibles à partir d'un même événement. Par exemple, cet élève aurait très bien pu réagir autrement au message dévalorisant de son professeur :

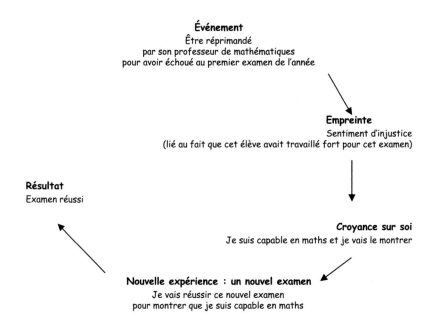

Par ailleurs, même avec cette empreinte différente et cette croyance positive sur lui-même, cet élève aurait très bien pu avoir une note très moyenne à son examen. Soit parce que cet examen était plus difficile, soit parce qu'il concernait des éléments que l'élève avait moins révisés que d'autres. Dans ce cas, l'élève aurait appris quelque chose de nouveau qui aurait modifié sa croyance initiale. Par exemple : « Bien me préparer aux objectifs spécifiques des examens est important pour pouvoir montrer que je suis bon en maths. »

Quoi qu'il en soit, ce qui est important, c'est la « partie inconsciente » du programme, c'est-à-dire psychologique et affective. Cela signifie que c'est bien plus la façon dont nous vivons les messages reçus et les résultats obtenus qui compte que ces messages et ces résultats en eux-mêmes. En effet, ce processus façonne notre propre image de nous-mêmes. L'expression de Jean-Paul Sartre est à cet égard très éclairante : « Je suis ce que j'ai fait de ce qu'on a fait de moi. »

C'est ainsi qu'avec le temps nos programmes induisent des comportements qui influencent la réponse des autres et viennent ainsi valider notre perception de nous-mêmes. Cela crée un phénomène qui est couramment appelé l'« autoréalisation des prophéties ».

Imaginez qu'une personne soit timide et réservée en société parce qu'elle pense qu'elle n'est pas très intéressante comme personne. Son estime de soi n'est donc pas très élevée. De ce fait, elle aura un comportement nécessairement distant et réservé qui la fera se tenir à l'écart des autres et être peu loquace lors d'une soirée par exemple. En conséquence, les autres la trouveront peu sociable et moins de personnes auront envie de faire l'effort d'aller vers elle. Il est alors évident que cette personne verra là la confirmation qu'elle n'est pas une personne réellement digne d'intérêt et qu'elle a bien raison d'être réservée !

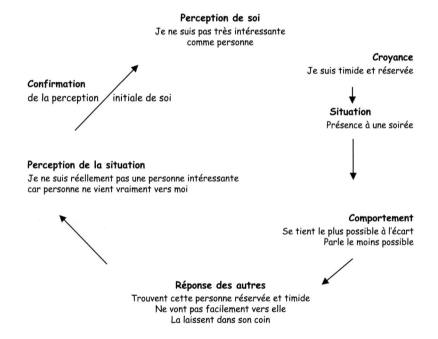

Autrement dit, nous démontrons ce que nous croyons ! Comme l'a dit Denis Waitley : « La vie est une prophétie que vous réalisez vous-même. »

Cela n'est pas anodin comme phénomène. Nos programmes, composés d'empreintes qui déterminent des croyances sur notre identité et sur nos capacités et en conséquence influencent directement nos comportements, nous font plier la réalité à notre perception subjective des choses et de nous-mêmes. Les réponses verbales et non verbales des autres ne viennent donc la plupart du temps que confirmer ce que nous croyons vrai. Comme le disait déjà Lao-Tseu à ses contemporains : « L'expérience est une lanterne qui n'éclaire que celui la porte. »

Voici un autre exemple pour montrer ce phénomène d'autoconfirmation de notre perception :

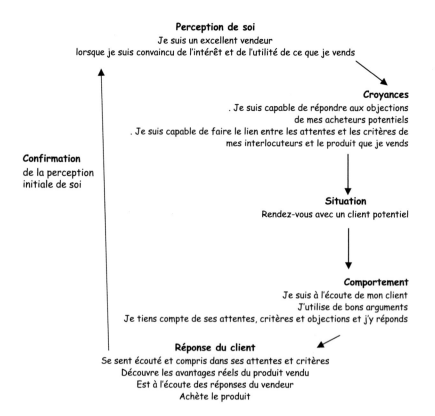

De plus, après avoir forgé notre image de soi, nous cherchons inconsciemment à passer le plus de temps possible avec des personnes qui viennent confirmer cette image. Tout cela signifie également que les attentes que nous avons dans différentes situations sont sensiblement influencées par notre perception des choses. Pensez, par exemple, à certaines situations courantes :

- Vous croyiez que votre fébrilité allait compromettre une entrevue professionnelle, et c'est ce qui s'est réellement passé.
- Vous pensiez être capable de réaliser cette vente, et vous l'avez faite.
- Vous ne pensiez pas que vous alliez vous entendre avec cette personne dans le même bureau, et c'est ce qui se déroule effectivement.
- Vous pensiez ne pas être capable de battre ce joueur lors de votre 3ᵉ tour à cette compétition de tennis, et vous avez effectivement perdu.
- Vous prévoyiez vous ennuyer à une soirée et c'est ce qui s'est passé.
- Votre manager vous a expliqué comment réaliser cette nouvelle tâche en vous signalant que vous ne réussiriez probablement pas au premier essai, et vous avez effectivement « réussi » à la rater au premier essai.
- Vous pensiez que le coach qui vous accompagnait dans votre management vous aiderait à atteindre vos objectifs, et c'est ce qui s'est effectivement produit.
- Vous pensiez réaliser un excellent gâteau au chocolat, et c'est ce que vous avez fait.

C'est comme si vous aviez fait ce qu'il fallait faire pour atteindre votre but, ou votre non-but. Vos attentes, ou celles des autres, ont déterminé vos attitudes. Votre prophétie consciente ou inconsciente s'est réalisée et a contribué en retour à confirmer le bien-fondé de vos attentes.

Un des plus célèbres exemples de ce phénomène d'autoréalisation des prophéties a été rapporté par Rosenthal et Jacobson dans le livre *Pygmalion à l'école**. Rosenthal et Jacobson ont fait savoir à des enseignants que 20 % des enfants de leur école élémentaire avaient un niveau intellectuel supérieur aux autres. Ils ont transmis les noms de ces élèves à leurs professeurs. En fait, ces enfants étaient tout à fait semblables à leurs camarades. Ils avaient simplement été sélectionnés au hasard, à partir d'une liste de numéros. Huit mois plus tard, à un test de QI, ils ont obtenu des résultats nettement supérieurs à ceux des autres élèves !

On peut donner l'explication suivante à cet exemple. En signalant aux professeurs que certains élèves étaient plus doués que d'autres, ces chercheurs ont posé un certain « cadre de référence » pour ces élèves et ce cadre a induit des attentes plus élevées des professeurs envers ceux-ci.

* L'astérisque renvoie à la bibliographie en fin d'ouvrage.

Les professeurs ont finalement agi différemment envers ces élèves pour pouvoir confirmer leurs attentes légitimes. Ils leur ont en effet porté plus d'attention, leur ont fourni plus de stimulations, leur ont donné plus de « feedbacks » constructifs. En conséquence, en étant encouragés et considérés comme brillants intellectuellement, ceux-ci ont mieux appris et intégré les connaissances enseignées.

Autrement dit, les élèves ont été meilleurs que les autres non parce qu'ils étaient effectivement plus intelligents que leurs camarades, mais parce qu'ils ont constaté que leurs professeurs les considéraient comme tels.

Notre perception de la réalité est donc le fruit de multiples « programmations internes ». Dans de multiples situations, bien souvent sans le savoir et sans le maîtriser, nous induisons ce que nous obtenons.

Nous apprenons par l'expérience et l'intégration de ces expériences forgent notre destin en quelque sorte.

Une autre conclusion que l'on peut faire à partir de ce constat est la suivante : pour optimiser l'expression de nos compétences et de nos talents, il devient important de cultiver l'art d'apprendre à apprendre et à se remettre en question.

Et cela commence sans aucun doute par ce que nous considérons comme des échecs ou des erreurs dans notre vie. Avec du recul, il est possible de s'apercevoir qu'ils portent tous en eux des apprentissages positifs qui peuvent nous aider à grandir et à évoluer. Oscar Wilde disait ainsi que : « l'expérience est le nom que chacun donne à ses erreurs ».

Remettre en question certaines perceptions que nous avons de nous-mêmes nous sera fort utile pour franchir une étape dans notre vie.

Par exemple, si les événements de votre vie vous amènent à devoir ou à vouloir changer de travail ou de statut professionnel (passer de salarié à travailleur indépendant par exemple), il sera constructif de prendre un temps pour évaluer si vous vous en sentez capable. Et si vous appréhendez ce changement, de commencer par réaliser ce que cela change dans votre propre définition de votre identité professionnelle. Réussir à modifier son image de soi au niveau professionnel permet de se faire confiance pour :

- S'appuyer sur ses expériences antérieures pour relever de nouveaux défis.
- Prendre le temps de se former à de nouvelles compétences.
- Acquérir de nouvelles connaissances.
- Acquérir de nouveaux réflexes professionnels.
- Apprendre de ses erreurs.
- Être créatif.

L'acte de communiquer est également un apprentissage permanent sur la façon de communiquer. Les codes et les langages ne sont pas des systèmes statiques que l'on apprend une fois pour toutes. Nous pouvons en apprendre de nouveaux et en abandonner d'anciens.

La capacité de remise en question est essentielle pour bâtir une *relation à l'expérience* saine et constructive. La bonne nouvelle c'est que développer cette capacité s'apprend.

LES POINTS CLÉS

- La dimension sensible de l'être humain est un élément essentiel de la communication. Elle nous permet d'être et d'agir avec le monde qui nous entoure et fait de nous des êtres relationnels.

- Cette faculté relationnelle innée ne nous empêche pourtant pas de rencontrer des difficultés pour échanger avec les autres.

- La conscience de soi s'élabore au fil de nos expériences. Nous apprenons à nous connaître dans la relation à autrui.

- La qualité du développement de notre personne s'appuie ainsi sur la maturation progressive de notre sensibilité. Et cette maturation se réalise grâce à la qualité des relations établies avec autrui.

- La façon dont nous avons intégré nos multiples expériences détermine notre façon d'être et d'agir par la suite.

- Pour optimiser l'expression de nos compétences et de nos talents, il devient important de cultiver l'art d'apprendre à apprendre et à se remettre en question.

« L'être humain est la proie de trois maladies chroniques et inguérissables : le besoin de nourriture, le besoin de sommeil et le besoin d'égards. »

HENRY DE MONTHERLANT

Chapitre 2
Quels sont nos besoins essentiels ?

Le terme « besoin » indique l'existence d'une tendance naturelle de l'être à vouloir satisfaire quelque chose. Il évoque l'idée d'une recherche qui a pour but de conduire à cette satisfaction. Il révèle finalement l'existence d'un manque à combler.

Les besoins fondamentaux fonctionnent comme des fonctions vitales. On peut les considérer comme des tremplins qui nous poussent à l'action. Ils sont naturellement déterminants en terme de communication. En ce sens, la communication peut être définie comme ce qui permet de satisfaire ses besoins. Quels sont les différents types de besoins ?

Besoins physiologiques

Respirer, se nourrir, dormir sont des besoins physiologiques essentiels à notre santé. Ils contribuent à notre croissance et à notre bien-être. C'est particulièrement lorsque nous négligeons ces besoins que leur importance nous apparaît. Nous réalisons alors qu'ils ont un impact sur notre équilibre psychologique. Par ailleurs, la qualité des relations que nous établissons avec les autres a de l'influence sur notre santé physique. Par exemple, certaines personnes qui s'alimentent correctement vont, sans s'en apercevoir nécessairement, se mettre à moins bien manger (moins régulièrement, sauter des repas, supprimer certains aliments, manger trop souvent la même chose) si elles sont contrariées par des problèmes relationnels. Nos relations ont une influence directe sur notre condition physique. Cela nous éclaire sur l'importance de la communication sur notre état de santé. Entretenir des relations interpersonnelles nourrissantes et enrichissantes contribue à notre bien-être physiologique.

Besoins sociaux

Puisque nous sommes par nature des êtres relationnels, différents besoins sociaux sont inscrits en nous. Même si le monde moderne est envahi par les moyens techniques de communication et que, parfois, nous aimerions être moins dépendants de ceux-ci et pouvoir être seuls ou renouer contact avec la nature, notre vie ne pourrait se dérouler indéfiniment hors de toute relation.

On peut inclure dans cette catégorie les besoins suivants.

Besoin de reconnaissance

L'appréciation d'autrui à notre égard est essentielle dans la construction de notre estime de nous-mêmes. Lorsque nous recevons des messages comme :
– Merci pour ton soutien.
– Bravo pour ta performance.
– Ton aide a été précieuse.
– Merci d'être qui tu es.
– Tu es un excellent communicateur.
– Tu es un brillant ingénieur.
– Tu as su être présent quand c'était difficile.

Cela nourrit notre personne en nous faisant ressentir des états intérieurs tels que :
- Sentiment d'être capable.
- Sentiment d'être utile.
- Sentiment d'être digne de confiance.
- Sentiment de valorisation.
- Sentiment de satisfaction.
- Sentiment de fierté.
- Sentiment de contribution.

Il apparaît immédiatement que ces sentiments alimentent grandement notre confiance en nous-mêmes. Être reconnu nous donne de l'énergie pour continuer à faire ce que nous faisons, à être qui nous sommes et souvent à amplifier cela pour améliorer encore notre savoir-faire ou nos interrelations.

Depuis quelques années, certaines organisations attribuent une place importante à la reconnaissance de leur personnel. Et elles découvrent que savoir reconnaître une personne pour son travail est un art. Pour avoir une portée réelle sur la personne, la reconnaissance doit être authentique. Reconnaître quelqu'un pour ses qualités relationnelles, pour ses compétences techniques, pour son leadership ou pour sa contribution significative à la réalisation d'un projet ne peut se réaliser qu'en étant vrai dans ses paroles et ses gestes. Dans le cas contraire, la personne peut ressentir cet acte comme une manipulation.

Besoin d'appartenance

C'est le besoin social de se sentir partie prenante d'un groupe ou d'un réseau. Dès notre naissance, nous appartenons à une famille, à une culture qui nous influencent profondément. En grandissant et en gagnant en autonomie, nous sommes plus à même de choisir nos réseaux d'appartenance. Ressentir que nous appartenons à un groupe que nous avons choisi (entreprise, association, club sportif, groupe d'études, corps professionnel...) est nécessaire à notre croissance et à notre équilibre psychologique car il nous permet d'éviter l'isolement et donc le sentiment de solitude.

Besoin d'affection

L'affection que nous donnons ou que nous recevons nous permet d'entrer en contact avec l'intimité de l'autre mais aussi avec la nôtre. Elle crée des liens plus profonds avec autrui. Elle crée un attachement qui tisse des relations de nature privilégiée. Cela permet de nous sentir unique, spécial aux yeux de quelqu'un.

Besoin d'estime de soi

Les besoins sociaux que nous venons de définir nourrissent l'estime de soi lorsqu'ils sont satisfaits. Cela est logique puisque l'estime de soi a pour fondement premier le regard porté par les autres sur notre personne. Lorsque notre estime de nous-mêmes est forte et solide, nous avons confiance en nous-mêmes, en nos capacités d'action. Cela nous permet de nous respecter, c'est-à-dire de nous accepter tels que nous sommes. Cela nous permet en conséquence de respecter les autres dans leurs différences. Autrement dit pour estimer les autres, il faut d'abord s'estimer soi-même.

Besoin d'accomplissement personnel

Si nos besoins physiologiques fondamentaux sont comblés et si nos besoins sociaux et d'estime de soi sont suffisamment nourris, notre besoin d'accomplissement personnel deviendra notre préoccupation première.

L'envie de se réaliser à travers des projets, des actions qui ont du sens devient forte. Elle oriente notre motivation vers l'accomplissement de rêves personnels et nous porte à agir. Elle nous incite à croire en la réalisation de nos idéaux, à vouloir vivre en intégrité avec nos valeurs. Elle nous conduit à vouloir dépasser nos limites pour mieux nous connaître. Nous pouvons être également portés par le désir de laisser une trace au sein de notre communauté, de notre société.

Quoi de plus gratifiant que d'avoir le sentiment d'avoir réalisé quelque chose qui nous ressemble profondément, qui n'a pu être accompli que par nous, à notre façon ? Ce sentiment libère profondément le sentiment d'être et d'exister.

Au-delà de nos besoins physiologiques, sociaux, d'estime de soi et de d'accomplissement personnel, existent deux autres besoins fondamentaux : les besoins de sécurité et de liberté. Ils englobent et donnent du sens aux besoins que nous venons de définir. C'est un peu comme s'ils en étaient le socle.

Besoins de sécurité et de liberté

Besoin de sécurité

La satisfaction du besoin de sécurité est liée au sentiment qu'éprouve l'être lorsqu'il est rassuré. La reconnaissance de personnes significatives est au premier plan de ce sentiment de sécurité. Il a pour effet de confirmer la légitimité et la valeur de notre identité. Cette reconnaissance pleinement ressentie confirme également l'être dans son appartenance à la communauté humaine. S'il est vécu, ce sentiment va lui permettre de mobiliser en confiance ses aptitudes naturelles à la relation, à l'échange, au contact avec les autres. Ce sentiment de sécurité interne, qui puise ainsi sa source dans la relation à autrui, est finalement à l'origine du développement de la confiance en soi.

Besoin de liberté

La satisfaction du besoin de liberté renvoie au sentiment qu'éprouve l'être lorsqu'il fait l'expérience d'une expression libre. Cette possibilité de l'expression de soi-même génère et développe le sentiment de liberté. La réalité du besoin de liberté est révélée lorsque nous sommes confrontés à des situations délicates ou douloureuses dont nous sommes momentanément prisonniers. Notre volonté d'échapper à ces situations vécues comme aliénantes témoigne de notre désir de liberté.

Ces situations peuvent être liées à des conditions extérieures (se retrouver enfermé quelque part, être dans un contexte nouveau et inconnu) ou psychologiques. Par exemple, lorsque nous sommes confrontés à nos contradictions internes :

« Je désire aller à la rencontre d'une personne, j'ai envie de faire connaissance avec elle et, en même temps, je ne me sens pas à la hauteur, j'ai peur de mal m'y prendre. »

En d'autres termes, lorsque nous nous vivons comme des êtres autonomes et responsables de notre destin, nous ressentons ce sentiment de liberté. Le sentiment de liberté est donc relié aux sentiments de responsabilité et de dignité humaine. Ces deux sentiments font référence au refus de l'être de se voir manipuler ou aliéner afin de se vivre comme un être libre. Le sentiment de liberté est clairement ressenti lorsque nous avons la sensation de nous réaliser, de nous épanouir en réalisant des projets, en atteignant des objectifs. Cette implication envers des projets nous arrache à l'inertie et dynamise nos actions.

Finalement, le sentiment d'exister est intensément ressenti lorsque nous vivons de façon profonde les sentiments de sécurité et de liberté.

Le désir de satisfaction des besoins de sécurité et de liberté pose néanmoins un problème qui est celui des moyens mis en œuvre pour les conquérir et les préserver.

Cela pose le problème de la « volonté de toute-puissance ». Est-il possible de conquérir ces besoins sans nuire à autrui ? Cette question nous interpelle sur la différence existant entre une forme de sécurité et de liberté idéalisées, directement liées à la satisfaction propre de l'ego, et une sécurité et une liberté fondées sur la création de relations authentiques et respectueuses avec autrui.

Nos besoins et notre façon de tenter de les satisfaire teintent ainsi toutes nos relations interpersonnelles. Ils contribuent à développer notre confiance en nous-mêmes s'ils sont suffisamment nourris. Dans le cas contraire, c'est le manque de confiance qui grandira en nous, accompagné de son double, la méfiance envers autrui.

La pyramide de Maslow

Dans *A theory of human motivation*, Abraham Maslow établit en 1943 une échelle des besoins, plus connue sous le nom « pyramide des besoins ».

Elle se présente de la façon suivante :

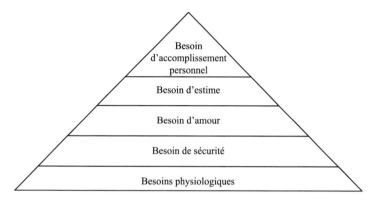

La pyramide de Maslow permet de comprendre la hiérarchie des besoins des êtres humains.

Les besoins physiologiques constituent la base de la pyramide : dormir, manger, boire, respirer. Ce sont donc des besoins à satisfaire pour assurer la survie de la personne. Ils ont pour fonction de maintenir l'homéostasie de l'organisme.

Lorsque ces besoins sont comblés, l'individu aspire à la satisfaction des besoins du niveau supérieur : les besoins de sécurité et de protection physique et physiologique. Ainsi, lorsqu'un bébé vient au monde, sa sécurité physique dépend entièrement des personnes qui l'environnent. En grandissant, il peut assumer ses besoins avec une autonomie croissante. Généralement, un adulte peut combler lui-même ses besoins de sécurité physique. Par ailleurs, une personne âgée, malade ou handicapée, peut ne pas être en mesure de satisfaire sans aide ses besoins de sécurité physique.

Sur le plan psychologique, une personne se sent d'autant plus en sécurité si elle sait ce qu'elle peut attendre des autres, ainsi que si elle possède suffisamment de repères par rapport à l'environnement dans lequel elle se trouve. Par exemple, un étudiant qui commence ses cours à l'université peut ressentir une certaine insécurité les premiers jours lorsqu'il ne sait pas encore à quoi s'attendre. Une personne nouvellement embauchée dans une entreprise peut se sentir intimidée à l'idée d'avoir à entrer en contact avec des inconnus.

Au niveau supérieur se trouve le besoin d'amour. Il inclut les besoins de donner et de recevoir, les besoins d'écoute et d'attention, le besoin de reconnaissance de sa personne et le besoin d'appartenance. Il oriente considérablement nos échanges avec les autres et nous affirme comme des êtres avant tout affectifs. La communication, le désir de s'exprimer trouvent leur source essentielle dans ce besoin. Ils font ainsi de nous des êtres sociaux qui se nourrissent d'interactions pour combler ce besoin.

Au niveau supérieur se trouve le besoin d'estime. Il concerne les besoins de respect de soi-même et d'autrui. Besoin d'être valorisé pour les actions réalisées, pour des résultats obtenus ou pour des idées ou convictions. Il met en relief l'importance de l'action dans nos vies et du regard que les autres portent sur nos opinions et nos actions.

Enfin au dernier niveau de la pyramide se situent le besoin d'accomplissement personnel. Il correspond au besoin de se sentir en évolution. Il déclenche notre désir de développement personnel, d'une plus grande connaissance de nous-mêmes. Il nous porte à continuer à apprendre, à aller vers des univers méconnus, à nous remettre en question, à agir en cohérence avec nos valeurs, à réaliser des projets qui nous tiennent à cœur.

Ainsi, selon Abraham Maslow, la satisfaction d'un besoin ne peut être réalisée que si les besoins des niveaux inférieurs ont eux-mêmes été satisfaits.

Par exemple, un individu ne peut se sentir pleinement en sécurité (niveau 2) si sa préoccupation principale est de trouver à boire et à manger (niveau 1).

Cette pyramide peut également servir à expliquer des situations en entreprise : le sentiment de réalisation qui accompagne l'efficacité d'une personne (niveau 5) peut être amoindri si celle-ci ne se sent pas intégrée dans son équipe de travail (niveau 3) ou tout simplement si elle est insomniaque depuis un mois (niveau 1) !

Abraham Maslow soulignait que la motivation des individus dépend du niveau où se situe le besoin qu'il tente de satisfaire. Cela signifie que l'énergie consciente et inconsciente d'une personne est dirigée vers des besoins spécifiques, c'est-à-dire ceux qui sont insuffisamment comblés, objectivement ou subjectivement.

Les besoins sont certes hiérarchisés mais totalement interdépendants. Cela signifie que des niveaux très différents de besoins peuvent cohabiter chez une personne révélant ainsi ses aspirations actuelles.

À la fin des années 1960, Maslow affinera ses recherches en mettant en relief deux autres besoins : le besoin de donner un sens à sa vie et le besoin de spiritualité, dans le sens étymologique du terme, c'est-à-dire de comprendre ce qui dépasse le simple niveau individuel et de contribuer à quelque chose qui est plus grand que soi.

Il est important de souligner que ce modèle comporte des limites réelles. Nous pouvons, par exemple, désirer satisfaire le besoin d'estime au détriment potentiel de notre besoin de sécurité lorsque nous souhaitons relever un défi physique qui peut comporter certains risques. Par ailleurs, il est issu de recherches menées uniquement auprès de populations occidentales. Malgré cela, il reste utile et pertinent dès que l'on touche à la question de la motivation humaine.

LES POINTS CLÉS

- Les besoins fondamentaux fonctionnent comme des fonctions vitales. On peut les considérer comme des tremplins qui nous poussent à l'action.

- Une des fonctions de la communication est de satisfaire nos besoins fondamentaux.

- Au-delà de nos besoins physiologiques, sociaux, d'estime de soi et d'accomplissement personnel, existent deux besoins fondamentaux : le besoin de sécurité et de liberté. Ils englobent et donnent du sens aux autres besoins.

« Un homme tomba dans un trou et se fit très mal.
Un cartésien se pencha et lui dit : "Vous n'êtes pas rationnel, vous
auriez dû voir ce trou."
Un religieux le vit et dit : "Vous avez dû commettre quelque péché pour
tomber dans ce trou."
Un scientifique calcula la profondeur du trou.
Un journaliste l'interviewa sur ses douleurs.
Un yogi lui dit : "Ce trou est seulement dans ta tête, comme ta douleur."
Un médecin lui lança deux comprimés d'aspirine.
Une infirmière s'assit sur le bord et pleura avec lui.
Un psychanalyste l'incita à trouver les raisons pour lesquelles ses
parents le préparèrent à tomber dans le trou.
Une pratiquante de la pensée positive l'exhorta : "Quand on veut on peut !"
Un optimiste lui dit : "Vous auriez pu vous casser une jambe."
Un pessimiste ajouta : "Vous n'êtes pas sorti du trou."
Puis un enfant passa et lui tendit la main. »

ANONYME

DEUXIÈME PARTIE

COMMENT COMMUNIQUONS-NOUS ?

Chapitre 1
Des premières découvertes prometteuses

Les modèles de Shannon et Wiener

Au XXᵉ siècle, naît le désir chez de nombreux chercheurs de comprendre ce qu'est réellement la communication, ou plus précisément le processus de la communication.

En 1948, le mathématicien américain Norbert Wiener publie *Cybernetics**. Un an plus tard, un de ses anciens élèves, Claude Shannon, publie *The mathematical theory of Communication**.

Wiener doit étudier pendant la seconde guerre mondiale le problème de la conduite de tir des canons anti-aériens (DCA). L'étude des trajectoires des avions volant à grande vitesse et des tentatives fructueuses ou infructueuses des canons pour les abattre le porte à mettre en évidence le principe de « feedback » ou de « rétroaction ». Cette notion de feedback révèle que la communication est un processus circulaire où des informations sur l'action en cours circulent entre l'émetteur et le récepteur (qui peuvent être naturellement deux personnes ou deux groupes). Ces informations influencent le système d'où elles proviennent et lui permettent de se diriger vers un objectif.

De son côté, C. Shannon est préoccupé par le souci d'optimiser la transmission des télégraphes. Il travaille en effet pour Bell Telephone. Il finit par proposer un schéma pour formaliser sa théorie de l'information. Selon lui, ce schéma illustre le « système général de la communication ». Celui-ci présente la communication comme la transmission d'un message d'un émetteur vers un récepteur qui peut être affectée par des interférences extérieures. Cette représentation de la communication a mis clairement en avant le phénomène des « pertes d'informations » qui se produit du fait de l'encodage de l'information par l'émetteur (choix de la langue, des mots, expressions non verbales) et de la nécessité de décodage de la part du récepteur pour comprendre et s'approprier le message émis (interprétation, traduction, mémorisation).

Schéma de la communication linéaire (Shannon)

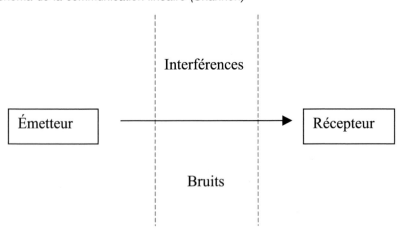

Schéma de la communication circulaire (Wiener)

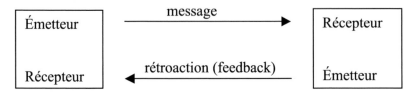

Il est évident que Wiener est allé plus loin dans la compréhension de la communication que Shannon. Il montre que la communication n'est pas seulement linéaire et que le feedback est toujours présent dans tout processus de communication. Ainsi, tout « effet » rétroagit sur sa « cause ».

Nous pouvons illustrer l'importance de la rétroaction par l'analogie suivante : des ingénieurs ayant travaillé sur le programme de la NASA des capsules Apollo révélaient que ce n'était pas tant les qualités et capacités techniques des capsules qui leur avaient permis d'atteindre la lune, mais bien plus leur capacité d'autoguidage, autrement dit de feedback. Dès que la capsule commençait à dévier de sa trajectoire qui devait l'amener directement à destination, le pilote effectuait le calcul nécessaire et surtout la manœuvre manuelle qui réalisait le ré-enlignement de la capsule vers sa direction finale. C'est cette capacité de ré-enlignement facilitée par la petite taille - et donc la souplesse - de la capsule qui permettait de garder le cap et d'arriver à bon port.

Le modèle de Lasswell

Harold Dwight Lasswell, politologue et psychiatre américain, s'est fait un nom en modélisant la communication de masse (1948). Pour lui, la communication s'articule autour des questions suivantes :
– Qui ? C'est la personne qui émet le message.
– Dit quoi ? Le message formulé.
– Par quel canal ? Le média utilisé pour transmettre le message (téléphone, presse, télévision, radio...).
– À qui ? C'est la personne qui reçoit le message.
– Avec quel effet ? L'impact du message sur l'auditeur.

Ce modèle conçoit la communication comme étant un processus d'influence et de persuasion, dont l'archétype serait la publicité. Ce modèle dépasse la simple transmission du message (même s'il y reste centré) et envisage notamment les notions d'étapes de communication, la possibilité de diversité des émetteurs et des récepteurs et de finalité d'une communication (ses enjeux).

Le mérite de ce modèle est de situer clairement les différents aspects systématiquement présents dans une communication. Ainsi, lorsque les communications au sein d'une entreprise deviennent floues et confuses, il est utile pour le responsable de commencer par se recentrer sur ces simples questions et de saisir là où le bât blesse.

Les modèles de Shannon, Wiener et Lasswell comportent néanmoins des limites importantes. Ils ignorent par exemple la notion de contexte qui s'est révélée si importante par la suite en communication. Ils ne s'appliquent donc pas à toutes les situations de communication et présentent de très nombreux manques qui sont révélés par les questions suivantes :

- Et s'il y a plusieurs récepteurs ?
- Et si le message prend du temps pour leur parvenir ?
- Et s'il y a plusieurs messages (éventuellement contradictoires) ?
- Et si sont mis en jeu des moyens de séduction, de menace ou de coercition ?
- Et si le message comporte des lapsus, jeux de mots ou autres formes spéciales de communication ?

LES POINTS CLÉS

- Le schéma de Shannon présente la communication comme la transmission d'un message d'un émetteur vers un récepteur qui peut être affectée par des interférences extérieures.

- Cette représentation de la communication a mis clairement en avant le phénomène des « pertes d'informations » qui se produit du fait de l'encodage de l'information par l'émetteur (choix de la langue, des mots, expressions non verbales) et de la nécessité de décodage de la part du récepteur pour comprendre et s'approprier le message émis (interprétation, traduction, mémorisation).

- N. Wiener montre de son côté que la communication n'est pas seulement linéaire et que le « feedback » est toujours présent dans tout processus de communication. Ainsi, tout « effet » rétroagit sur sa « cause ».

- Le modèle de Laswell conçoit la communication comme étant un processus d'influence et de persuasion. Ce modèle dépasse la simple transmission du message et envisage notamment les notions d'étapes de communication, la possibilité de diversité des émetteurs et des récepteurs et les enjeux d'une communication.

Chapitre 2
Des nouvelles approches pour mieux comprendre la communication

Carl Rogers et l'approche humaniste

Toujours dans cette période bouillonnante d'exploration et de découverte des années 1950-1960, Carl Rogers, psychothérapeute américain, développe une approche thérapeutique fondée sur l'« empathie ».

Dans son livre de référence, *Le développement de la personne**, il définit l'empathie comme « la capacité à comprendre l'autre de son point de vue en ressentant ce qu'il ressent ».

Carl Rogers considère le feedback comme essentiel, car le thérapeute – ou n'importe quelle forme d'intervenant – en y étant très attentif, possède là une clé lui permettant de mesurer l'impact de ses paroles sur son interlocuteur, ce qui le porte à manifester une attention et une écoute authentiques envers l'autre, c'est-à-dire fondées sur le réel désir de le comprendre et de l'aider à s'aider.

Il peut ainsi reformuler fidèlement les propos de son interlocuteur et ainsi parler son langage. Cela a pour effet immédiat de déclencher un sentiment de compréhension chez notre interlocuteur qui le rassure sur nos intentions et notre capacité à l'aider réellement, autrement dit sur nos compétences d'intervenant, et le porte à se laisser aller à se confier encore plus.

Faire preuve d'empathie s'appuie donc sur notre capacité de lecture du feedback (verbal et non verbal) qui traduit le degré de confort de notre interlocuteur vis-à-vis de notre façon d'échanger avec lui.

La perception mathématicienne de la communication est désormais bien loin grâce aux démonstrations de Rogers. Celui-ci nous a montré la différence qui existe entre le fait d'analyser comment un système qui transmet de l'information, tel un télégraphe, fonctionne, et la subtilité et la complexité d'un échange avec une personne vivante. Ces travaux révèlent également, dans le sillon des travaux de Wiener, que l'important n'est pas tant ce qui est émis ou reçu mais bien plus ce qui est compris par notre interlocuteur.

L'approche systémique : une révolution dans la compréhension du phénomène « communication »

« À l'inverse de la logique cartésienne qui dissocie, partage, décompose, la logique systémique associe, rassemble, considère les éléments dans leur ensemble les uns vis-à-vis des autres et dans leur rapport à l'ensemble. »
ARLETTE YATCHINOVSKY

Les travaux de Wiener sont prolongés par les travaux de Ludwig Von Bertalanffy. Ce biologiste austro-canadien veut élaborer une « théorie générale des systèmes ». Le langage courant a déjà intégré des expressions comme « système solaire », « système social », « système écologique », ou « système scolaire ».

Aujourd'hui, on peut définir un système comme un ensemble d'éléments reliés entre eux par des interactions constantes et pleines de sens dirigées vers des objectifs plus ou moins consciemment définis.

L'approche systémique constitue une révolution dans la perception du phénomène de la communication humaine.

Elle élargit considérablement notre compréhension de ce phénomène en :
– dépassant la conception simpliste de la communication linéaire ainsi que les préceptes cartésiens ;
– développant une méthodologie d'intervention auprès des personnes et des groupes centrée sur les objectifs à atteindre plutôt que sur les causes des problèmes.

L'approche systémique a largement contribué à élargir notre perception et compréhension du processus de la communication. Les travaux de Gregory Bateson sur l'étude de la communication dans différentes cultures ou chez les espèces animales (éthologie) et ceux de l'École de Palo Alto sur l'analyse des organisations, les communications familiales et les thérapies brèves sont à l'origine de cette approche. L'approche systémique montre que la communication est un processus complexe, en mettant en évidence les réalités suivantes :
– La communication est un processus interactionnel.
– La signification du message émis et reçu dépend du contexte dans lequel il est réalisé.
– Tout comportement humain a une valeur communicative.
– La communication est orientée vers des enjeux stratégiques.

L'approche systémique montre ainsi qu'une entreprise, un département dans une organisation, une famille et aussi une simple cellule d'un organisme vivant sont des systèmes. Chaque système est composé d'un ensemble d'éléments liés entre eux par des relations, autrement dit interdépendants.

Considérer chaque personne individuellement n'est pas suffisant. Il est nécessaire de la considérer dans son réseau relationnel, dans un contexte spécifique. Ce n'est pas tant le message lui-même qui est important, mais la relation entre les individus. Y. Winkin utilise l'analogie de l'orchestre à ce propos : « L'analogie de l'orchestre a pour but de faire comprendre comment on peut dire que chaque individu participe à la communication plutôt qu'il n'en est l'origine ou l'aboutissement[1]. »

En identifiant les différents aspects de la communication systémique (enjeux, stratégies, ponctuation, symétrie, complémentarité), il est possible d'acquérir une vue d'ensemble du système et d'agir ainsi là où c'est réellement efficace au regard du changement souhaité.

Ce qui permet d'évoluer, de gérer les crises et les transitions, c'est alors la capacité à développer une vision globale de la situation. Cela permet de « métacommuniquer » sur le système, c'est-à-dire de révéler les réalités du système en se situant au niveau de la dynamique du système et non simplement au niveau de son contenu. L'approche systémique est donc pertinente pour agir sur la complexité.

Les cinq principes de l'approche systémique

- Le principe d'interdépendance : tous les éléments d'un système sont reliés entre eux. Ils ont donc de l'influence les uns sur les autres. Pour comprendre les intentions et les actions d'un élément, c'est-à-dire sa cohérence, il est nécessaire de le considérer dans le contexte dans lequel il interagit.
- Le principe de feedback : toute communication est circulaire. Cela signifie que l'impact produit par un élément sur un autre crée une réaction chez ce dernier qui aura à son tour un impact sur son environnement.
- Le principe de totalité : lorsqu'il y a une réunion d'individus, la logique du groupe constitué prime sur celle de chaque élément qui le compose. Autrement dit, le *tout* est plus que la simple somme des logiques de ses différentes *parties*, il a sa logique propre qui gouverne l'ensemble des parties en présence.
- Le principe d'homéostasie : lorsqu'un système vit un changement, d'origine interne ou externe, il a tendance à vouloir revenir à son état antérieur. Ce phénomène permet au système de préserver son identité dans le temps. Par ailleurs, il est aussi à l'origine de ses résistances au

---

1. Yves Winkin, *La nouvelle communication*, Seuil, 2000.

changement et peut l'empêcher de s'adapter à des changements néces-saires imposés par l'évolution du contexte.

- Le principe d'équifinalité : un système s'est structuré d'une certaine façon au fil du temps. Les caractéristiques de son état initial, à sa naissance, ont évolué et sa façon de fonctionner aujourd'hui est très probablement différente de celle qu'elle était à son origine. La finalité d'un système et les résultats qu'il obtient sont donc plus liés à sa structure actuelle qu'aux propriétés de son état lors de sa création. Des systèmes peuvent donc avoir des buts communs et obtenir des résultats identiques en ayant pourtant connu des conditions initiales différentes et en empruntant des chemins différents. Si l'on veut donc comprendre ce qui se passe dans un système, l'analyse des interactions actuelles importera plus que celle de l'origine de ce système et des éléments qui le composent.

Les principales propriétés des systèmes, selon Gérard Donnadieu*

- Les systèmes sont ouverts. Le corps humain respire, se nourrit, rejette l'air et ingère la nourriture. Il échange en permanence avec le milieu dans lequel il se trouve. Il en est de même pour une entreprise qui est en interaction constante avec son environnement, particulièrement avec le marché qui constitue son environnement économique.
- Les systèmes sont relationnels. Les divers organes ont des relations, ils interagissent, sont liés et ont une influence les uns sur les autres. Ils sont également englobants, chaque organe est un sous-système d'un système qui l'englobe. La cellule est un système qui a son fonctionne-ment propre et qui est englobée dans chaque organe. Les organes sont eux-mêmes englobés dans le corps.
- Les systèmes sont finalisés. L'ensemble des organes contribuent à la vie, chacun des organes gardant ses propres spécificités et ses propres objectifs.
- Les systèmes ont besoin de variété. Pour s'adapter aux modifications successives de l'environnement et aux nouveaux milieux, les êtres vivants ont fait preuve d'extraordinaires capacités d'innovation.
- Les systèmes sont auto-organisateurs. Cette capacité naît de la rencontre entre la finalité et la variété. Pour se maintenir en vie en tenant compte des modifications internes et externes, les organes du corps humain dévelop-pent un pouvoir d'auto-correction dont découle une auto-organisation. La capacité d'auto-organisation donne aux systèmes vivants la capacité d'auto-réparation qui les différencie tellement des machines.

La comparaison de De Rosnay

Joël De Rosnay propose une comparaison fort éclairante entre l'approche analytique qui imprègne encore profondément la pensée occidentale et l'approche systémique[2].

Approche analytique	Approche systémique
Isole : se concentre sur les éléments. *Considère la nature des interactions.* *S'appuie sur la précision des détails.* *Modifie une variable à la fois.* *Indépendante de la durée : les phénomènes considérés sont réversibles.*	*Relie : se concentre sur les interactions entre les éléments* *Considère les effets des interactions.* *S'appuie sur la perception globale.* *Modifie les groupes de variables simultanément.* *Intègre la durée et l'irréversibilité.*
La validation des faits se réalise par la preuve expérimentale dans le cadre d'une théorie.	*La validation des faits se réalise par comparaison du modèle avec la réalité.*
Modèles précis et détaillés mais difficilement utilisables dans l'action.	*Modèles insuffisamment rigoureux pour servir de base aux connaissances, mais utilisables dans la décision et l'action.*
Approche efficace lorsque les interactions sont linéaires et faibles.	*Approche efficace lorsque les interactions sont non linéaires et fortes.* *Conduit à un enseignement par discipline.*
Conduit à une action programmée dans son détail.	*Conduit à un enseignement pluridisciplinaire.* *Conduit à une action par objectifs.*
Connaissance des détails, mais buts mal définis.	*Connaissance des buts, détails flous.*

La comparaison de Kourislky-Belliard

De son côté, Françoise Kourilsky-Belliard distingue les démarches analytique et systémique de la façon suivante[3].

2. J. de Rosnay, *Le Macroscope*, Seuil, 1975.
3. F. Kourilsky-Belliard, *Du désir au plaisir de changer*, 3e édition, Dunod, 2004.

Démarche analytique	Démarche systémique
Causalité linéaire.	Causalité circulaire.
Orientée passé/présent.	Orientée présent/futur.
Connaissance des causes d'un problème pour le résoudre.	Clarifier l'objectif à atteindre pour résoudre un problème.
Centrée sur l'explication des dysfonctionnements et sur les handicaps du système.	Centrée sur les fonctions utiles des dysfonctionnements et sur les ressources du système.
Elle se nourrit du passé pour faire évoluer.	Elle se nourrit du présent et le fait évoluer en fonction du but à atteindre.
Le passé détermine le présent et le futur.	La projection du futur souhaité influence les actions présentes.

 On avait embauché un chaudronnier pour qu'il répare le système de chaudières d'un énorme navire à vapeur. Il écouta l'ingénieur lui décrire les problèmes, lui posa quelques questions, puis il se rendit à la chambre des chaudières. Il jeta un coup d'œil sur l'amoncellement de tuyaux ; il écouta le cognement de la chaudière et les sifflements de la machine à vapeur pendant quelques minutes, puis il passa les mains sur quelques tuyaux. Il se mit à chantonner tout doucement, puis mit la main dans sa poche et en sortit un petit marteau ; il frappa un seul coup sur une valve rouge vif et tout le système de chaudières commença à fonctionner à la perfection. Le chaudronnier retourna chez lui. Lorsqu'il reçut une facture l'enjoignant de verser 1 000 euros au chaudronnier, le capitaine du navire se mit en colère et se plaignit que le chaudronnier avait passé au plus une quinzaine de minutes dans la chambre des chaudières.

Il demanda donc au chaudronnier de lui envoyer un compte détaillé. Ce que fit le chaudronnier :
– Donner un coup de marteau : 0,50 euro.
– Déterminer rapidement l'endroit où frapper : 999,50 euros.
– Total : 1 000 euros.

L'École de Palo Alto

Ainsi, dans les années 1960, la communication est comprise comme un ensemble de personnes en interaction plongées dans un contexte et s'interinfluençant constamment. C'est à partir de ce constat, que plusieurs chercheurs, dont peu se connaissent au début, poursuivent un objectif similaire : approfondir la compréhension de la systémie des relations humaines.

Les plus connus de ces chercheurs sont : Gregory Bateson, Ray Birdwhistell, Edward T. Hall, anthropologues, Erving Goffman, sociologue, Milton Erickson, Don Jackson, Paul Watzlawick et Virginia Satir, psychiatres. Ils forment à eux tous, et avec d'autres, un véritable « collège invisible », un réseau d'interconnexions très fertile. Ils finissent tous par connaître les travaux des uns et des autres et à créer des liens relationnels et intellectuels entre eux.

Leur propos est de décoder la grammaire inconsciente qui préside à l'élaboration, puis à l'expression de codes comportementaux sélectionnés par le contexte culturel et relationnel. En effet, selon eux, la communication est un processus profondément codé. Nos comportements, quels qu'ils soient, sont la résultante de codes engrangés dans notre mémoire et qui trouvent leur origine dans notre culture, notre éducation, notre histoire relationnelle.

Ces chercheurs sont donc en vive réaction contre le modèle linéaire de Shannon qui postule que la communication est un acte volontaire et conscient.

Ils nous expliquent que la communication est un acte qui a pour but de s'adapter au contexte dans lequel nous évoluons à un moment donné et que cela est possible grâce à une série de codes - nécessairement inconscients car appris pour la plupart lors de notre enfance - qui déterminent la sélection de nos comportements. Autrement dit, un comportement s'appuie nécessairement sur un ensemble de codes.

 • *La langue que vous utilisez pour interagir avec votre interlocuteur est évidemment un code.*

- *La gestuelle que vous utilisez (une poignée de main par exemple) est un code pour saluer une personne.*
- *Mangez-vous votre nourriture avec des couverts ou avec vos mains ? Ce sont deux codes culturels différents.*

La communication est donc un tout intégré. Elle se manifeste à travers des comportements. Et comme naturellement, on ne peut pas ne pas avoir de comportement, on ne peut pas ne pas communiquer en conséquence.

Pour apparaître, la signification d'un comportement, c'est-à-dire sa cohérence, doit être reliée au contexte dans lequel il se manifeste parce que ce dernier va activer la sélection et l'exécution de certains codes plutôt que d'autres.

En ce sens, la phrase suivante exprimée dans *Une logique de la communication** résume bien la conception de la communication par l'École de Palo Alto : « L'essence de notre message au lecteur est que la communication est la matrice dans laquelle sont enchâssées toutes les activités humaines. »

Les apports majeurs de l'École de Palo Alto se situent donc à de multiples niveaux présentés ci-après.

Les différents niveaux de réalité

> « *De toutes les illusions, la plus périlleuse consiste à penser qu'il n'existe qu'une seule réalité. En fait, ce qui existe, ce ne sont que différentes versions de celle-ci dont certaines peuvent être contradictoires, et qui sont toutes des effets de la communication, non le reflet de vérités objectives et éternelles.* »
> PAUL WATZLAWICK

Un des grands apports de l'École de Palo Alto est d'avoir clairement mis en relief que notre vision de la réalité ne pouvait être la réalité elle-même. Si l'on considère que la réalité est « quelque chose » qui existe bel et bien, nous ne pouvons l'appréhender qu'à travers notre système de représentation sensoriel ainsi qu'à travers les filtres de notre histoire personnelle et de notre culture.

Comme le souligne Paul Watzlawick, nous pouvons au mieux appeler « réalité de premier ordre » ce que nous appelons généralement « réalité ». Par ailleurs, de façon instantanée, du fait de la célérité de nos circuits neurologiques, nous élaborons inconsciemment une « réalité de deuxième ordre » à partir de nos « processus de sélection, de distorsion et de généralisation ». Cette réalité est profondément subjective et personnelle. C'est cette réalité de deuxième ordre qui constitue le sens que nous accordons à la réalité perçue.

- *Mon collègue de travail ne me dit plus bonjour depuis plusieurs jours, il doit m'en vouloir de travailler seul sur ce nouveau mandat.*
- *Le même film que vous allez voir au cinéma peut vous plaire et pourtant déplaire à votre ami ou le laisser indifférent.*

Toute communication est digitale et/ou analogique

Dans un pays étranger, si une personne dont vous ne parlez pas la langue vous explique où se trouve le monument que vous cherchez, il y a peu de chances que vous saisissiez ses explications. Par ailleurs, grâce à ses gestes, vous pouvez comprendre dans quelle direction il se trouve. Les mots constituent une communication dite digitale alors que la communication analogique est non verbale et s'adresse directement à nos sens.

Au-delà de cette différence, ce qui est intéressant, c'est que le message transmis par une communication digitale est différent de celui transmis par une communication analogique. En effet, le langage digital exprime le contenu de notre message (exemple : « j'apprécie ton travail »), alors que le langage analogique révèle le type de relation que nous avons avec notre interlocuteur (exemple : regard franc, tape sur l'épaule ou poignée de main soutenue).

Cela explique pourquoi tout décalage entre le message digital et le message analogique parasite la qualité de la communication et peut créer l'incompréhension, le doute ou la méfiance. Comme le souligne Philippe Turchet : « L'homme, lorsqu'il travestit la vérité, n'est jamais parfaitement à l'aise. Son corps va parler[4]. »

4. Philippe Turchet, *La synergologie*, Les Éditions de l'Homme, 2004.

Ainsi, d'un côté, notre faculté de parole nous permet de formuler des mots et des phrases qui ont un sens pour nous et nos interlocuteurs. Elle nous permet d'exprimer des pensées, des idées, des intentions, des sentiments, des intuitions, des concepts.

Et, d'un autre côté, notre expression non verbale est aussi une source de signification. En effet, sans parler, nous pouvons bel et bien parvenir à manifester de l'intérêt, de l'impatience, de l'incompréhension, de l'agacement, de la tristesse, de la joie... Notre comportement non verbal nous permet d'accompagner notre expression verbale par la gestuelle, l'expression du visage, le regard, la respiration, le ton et le rythme de la voix. Ainsi, notre attitude non verbale parle toujours. Elle est toujours signifiante. Notre gestuelle est riche de variété. Il existe en effet différentes sortes de gestes.

- Les gestes descriptifs :
  - compter sur les doigts ;
  - signifier un nombre avec ses doigts ;
  - réaliser des formes avec ses mains (carré, courbe, triangle...).

- Les gestes symboliques qui prolongent la parole :
  - poignée de mains ;
  - tape sur l'épaule ;
  - faire le « V » de la victoire ;
  - faire le signe « OK » avec ses doigts ;
  - pointer du doigt quelqu'un ;
  - pointer le doigt vers soi pour signifier « moi » ;
  - haussement d'épaule.

- Les gestes de contenance :
  - avoir les mains dans les poches ;
  - les bras croisés ;
  - laisser les mains sur ses hanches ;
  - tripoter un stylo ;
  - se tenir contre un mur ;
  - replacer ses lunettes ;
  - se gratter.

Imaginez quelqu'un qui répondrait à l'une de vos questions par un « oui » mais sur un ton faible, évasif et surtout en faisant imperceptiblement « non » avec sa tête et en paraissant être ailleurs. Dans ce cas, nous ne nous sentirions pas pleinement écoutés et nous aurions, plus ou moins consciemment, un doute sur la vérité de la réponse de notre interlocuteur. Et pourtant le terme « oui » a été dit et son sens habituel est clair. Cependant, la façon dont il a été exprimé par le corps le rend plus ou moins valide.

Cela nous amène à la notion de congruence. Elle se définit comme l'accord entre nos expressions verbale et non verbale. Ainsi, notre communication est congruente lorsque nos expressions verbale et non verbale sont en phase l'une avec l'autre. Le décalage entre les expressions verbale et non verbale est donc la preuve d'un manque de congruence.

La congruence se définit comme l'accord existant entre ce qui est pensé et ressenti d'une part et ce qui est dit et montré d'autre part. Toute la partie non verbale (gestuelle, regard, respiration) et paraverbale (timbre, rythme et volume de la voix) de notre expression est ainsi révélatrice du degré de congruence d'une communication. C'est ce qui permet aux psychomotriciens d'affirmer que le corps ne ment pas.

Par ailleurs, pour optimiser notre communication, il est nécessaire de savoir adapter son style de communication au contexte dans lequel nous sommes à un moment donné. C'est comme si nous accordions les cordes de notre personnalité à la situation pour y être en harmonie. Cela nous permet de rester congruent.

 Vous devez mener une négociation avec des interlocuteurs que vous n'avez pas l'habitude de cotoyer (tels que des directeurs de ressources humaines ou des représentants syndicaux, par exemple). Informez-vous avant sur ce public que vous connaissez moins, préparez des arguments qui leur parlent, adaptez un style vestimentaire approprié. Le fond de votre message reste le même, mais vous en adaptez la forme à vos interlocuteurs pour qu'il soit mieux reçu et compris. Le message est comme un objet qui peut être emballé de multiples façons. Et le message est d'abord et avant tout constitué du messager !

La congruence entre les expressions verbale et non verbale révèle ainsi notre authenticité. Être congruent est un aspect particulièrement important pour créer une communication de qualité. Ce sont les premières secondes, les premiers gestes ou les premiers mots qui vont influencer notre ou nos interlocuteurs. La première impression va déterminer la première opinion favorable ou défavorable. Être congruent permet donc de donner la meilleure image de soi et de marquer l'impression la plus positive. Elle est à l'origine du charisme. Et le charisme est le fondement essentiel du leadership.

Certaines personnes pensent qu'adapter sa façon de communiquer revient à être moins vrai, moins authentique. Il semble, qu'au contraire, nous gagnons en vérité auprès de nos interlocuteurs lorsque nous manifestons notre capacité d'adaptation. D'ailleurs, s'adapter ne signifie pas être d'accord avec son interlocuteur et oublier son véritable message. Cela signifie « je suis capable de vous faire comprendre mon point de vue en tenant compte de qui vous êtes, de votre propre point de vue, de la situation présente et de nos intérêts communs et divergents ».

Une communication authentique se définit comme l'expression en vérité de ce qui nous anime, à savoir l'expression de ce que nous pensons et ressentons en fonction du contexte dans lequel nous évoluons. En comprenant l'interdépendance des expressions verbale et non verbale dans une communication, nous développons notre attention à l'échange et optimisons ainsi nos qualités relationnelles.

Par ailleurs, dans certaines situations relationnelles, nous pouvons parfaitement éprouver vis-à-vis d'une personne avec laquelle nous n'avons pas encore eu d'échanges :
• d'une part, le désir, l'envie d'aller vers elle ;
• et, d'autre part, une appréhension plus ou moins grande d'aller vers elle.

Nous sommes alors, à ce moment, animés par deux sentiments qui se révèlent être opposés et contradictoires. Nous ne sommes donc pas congruents et notre hésitation le reflète. Nous pouvons hésiter pour quantité de raisons :
• Crainte de mal paraître ;
• Peur de mal s'y prendre ;
• Peur d'être jugé ;
• Peur d'être rejeté ;

- Ignorance de ses intentions à notre égard ;
- Trop grande admiration à son égard ;
- Manque de confiance dans ce genre de situation ;
- Connaissance de nos points de vue différents.

Pour pouvoir aller vers cette personne, il est nécessaire de prendre notre courage à deux mains pour pouvoir dépasser notre appréhension. Ce sentiment limitant que l'autre peut nous inspirer doit en effet être dépassé si nous voulons exprimer sans entraves nos facultés naturelles de communication. En faisant ce choix d'aller vers cette personne, nous mobilisons alors nos ressources de communication :
- Sens de l'observation et intuition ;
- Capacité à entamer la conversation ;
- Écoute et reformulation ;
- Sourire ;
- Capacité à approfondir la conversation ;
- Capacité à clarifier nos objectifs différents ou communs ;
- Capacité à influencer et à convaincre ;
- Humour...

Progressivement, en gagnant en confiance en soi dans cette relation, nous rétablissons notre congruence interne, et notre communication inévitablement gagne en qualité. La congruence est donc un élément essentiel dans nos relations interpersonnelles. La discordance entre notre message verbal et notre message non verbal, ou chez notre interlocuteur, créera de la confusion dans la relation si elle perdure dans le temps, et un malaise durable s'installera alors dès que les deux personnes seront en présence l'une de l'autre. La congruence révèle par ailleurs notre motivation. La motivation est source de congruence.

 On rapporte qu'un jour un jeune homme sans passion vint rencontrer le philosophe grec Socrate et lui déclara avec désinvolture : « Ô grand Socrate, je viens vers vous pour en savoir davantage sur la connaissance. »
Le philosophe emmena le jeune homme jusqu'à la mer, entra dans l'eau avec lui, puis, il l'immergea sous l'eau pendant trente secondes. Quand il laissa le jeune homme respirer à nouveau, Socrate lui demanda de répéter ce qu'il voulait. « La connaissance ô grand maître », dit-il en crachotant de l'eau. Socrate l'immergea de nouveau mais cette fois-ci un peu plus longtemps. Après un certain nombre d'immersions entrecoupées par les réponses du jeune homme, le

philosophe demanda : « Que veux-tu ? » Le jeune homme dit finalement en suf-
foquant : « De l'air, je veux de l'air ! » - « Très bien, répondit Socrate. Quand tu
chercheras la connaissance autant que tu as recherché l'air aujourd'hui, tu
l'obtiendras. »

Le phénomène de la ponctuation

La ponctuation est également un phénomène relationnel qui mérite une grande attention lorsqu'il s'agit de comprendre une relation ou un système, particulièrement lorsqu'il s'agit d'y introduire un changement.

La ponctuation d'une communication concerne à la fois la façon dont les interlocuteurs en présence découpent leurs échanges en segments ainsi que le point de vue, très souvent inconscient, que chaque interlocuteur porte sur son propre comportement et sur celui de l'autre et les interprétations qui en découlent.

- *Imaginez un chef d'équipe qui a un comportement très contrôlant avec ses coéquipiers. Il justifie son comportement en soulignant que s'il n'était pas tout le temps derrière ses employés, ceux-ci ne feraient pas grand-chose. Ces derniers, vivant quotidiennement cette présence fréquente, hésitent en conséquence à faire preuve d'initiative. Ils disent en effet que cela est inutile puisque le patron est constamment sur leur dos, ce qui témoigne de son manque de confiance et de son incapacité à déléguer.*
- *Pour les étudiants, leur réunion, leur mobilisation et leurs manifestations se justifient parce que la présence de la police est une provocation. Pour la police, la présence des étudiants nombreux et vociférants constitue un trouble à l'ordre public qui justifie leur présence et leur action[5].*
- *L'époux rentre du travail et s'installe tristement devant la télévision. L'épouse se fait silencieuse et se retire dans la cuisine. Dix ans après, lors d'une thérapie, ils pourront se dire : « Je regardais la télé puisque tu ne t'occupais pas de moi », « Je retournais à la cuisine pour ne pas te déranger, tu avais l'air si fatigué »[6].*
- *Durant la seconde guerre mondiale, les soldats américains stationnés en Grande-Bretagne et les jeunes filles qu'ils fréquentaient s'accusèrent mutuellement de goujaterie et de manque de pudeur dans les relations amoureuses, chacun estimant que l'autre brûlait les étapes et ne pratiquait pas une cour*

5. E. Marc et D. Picard, *L'École de Palo Alto*, Retz, 2006.
6. Cf. note précédente.

« respectable ». Dans les faits, tout le monde se comportait normalement, mais la norme différait d'une culture à l'autre : si, dans les deux cultures, on admettait le principe d'un ordre dans le comportement d'approche, cet ordre n'était pas le même. Pour les Américains, le baiser intervenait très tôt et ne portait pas à conséquence. Pour les Anglaises, il constituait l'une des dernières étapes avant l'acte sexuel. Les jeunes filles étaient donc choquées que leurs soupirants veuillent les embrasser si vite ; les jeunes gens ne comprenaient pas que leurs compagnes les fuient (comme des « hystériques ») s'ils essayaient « seulement » de les embrasser ou bien passent si vite (« impudiquement ») à l'étape ultime lorsqu'elles s'étaient laissé faire[7].

Une relation est donc toujours ponctuée d'une certaine façon par les acteurs en présence. Il est illusoire de chercher le responsable d'un geste, d'une action ou d'une parole puisque la perception de la situation et de la relation n'est pas la même au départ. La cause et l'effet se confondent et deviennent indiscernables. Tenter d'identifier qui a tort et qui a raison dans une situation est donc voué à l'échec. Cela induit nécessairement que l'un des interlocuteurs ou des groupes est l'instigateur des problèmes rencontrés, donc le fautif, et l'autre interlocuteur ou l'autre groupe la victime, ce qui est une illusion. Il s'agit plutôt d'une co-responsabilité.

Une des clés pour sortir de ce cercle vicieux qui a créé des tensions ou des conflits ouverts est de métacommuniquer.

La métacommunication

Si une personne dit à une autre : « Voulez-vous me rendre ce service ? » et que la première est le patron de la seconde et que la scène se passe au travail, il est évident que le message signifie : « Ceci est un ordre[8]. » Cet exemple montre bien ce qu'on appelle un « métamessage ». Un métamessage est le message réel transmis, il est le « vrai » message communiqué derrière le message verbal et non verbal exprimé.

C'est Gregory Bateson qui a approfondi le premier cette notion de « métacommunication ». C'est en observant attentivement des loutres jouer que Bateson découvre que celles-ci pouvaient distinguer un combat véritable

---

7. Y. Winkin, *La nouvelle communication*, Seuil, 2000.
8. P. Watzlawick, *La réalité de la réalité*, Seuil, 1975.

d'un simulacre de combat. Autrement dit, les loutres parvenaient à se transmettre le métamessage : « Ceci est un jeu. »

Métacommuniquer, c'est ainsi communiquer à propos de la communication. « Méta » est un terme grec qui signifie « au-dessus de ». Métacommuniquer c'est donc se placer « au-dessus » de l'échange en cours. Cela revient à faire une pause dans cet échange pour communiquer à propos de son contenu, de son évolution, de ses qualités, de ses obstacles ou de ses manques. La métacommunication peut donc concerner le contenu de l'échange ou la relation elle-même.

- *Si je dis à mon interlocuteur : « je crois que finalement ce dont nous sommes en train de parler c'est l'importance d'être passionné dans la vie », je donne du recul à notre échange en précisant le sens de celui-ci.*
- *Si je dis à mon interlocuteur : « je ne t'ai pas appelé hier parce que j'étais déçu de ton attitude samedi soir », je lui fournis un élément d'explication sur ma relation avec lui.*
- *Ou si vous dites à votre interlocuteur : « est-ce qu'on peut se tutoyer ? »*
Dans ces cas, la métacommunication est explicite et verbale.

Par ailleurs, elle peut être également implicite et non verbale :
- *Si un manager indique sur un ton solennel à son subordonné : « venez, j'ai à vous parler dans mon bureau », le ton utilisé, le rituel respecté, le délai pris pour parler, le lieu choisi sont autant d'indicateurs qui métacommuniquent que la rencontre revêt une grande importance.*
- *Si, au cours d'un repas, un convive se met debout et lève son verre, il métacommunique aux autres convives qu'il va porter un « toast ».*
- *Si je parle à une personne et que tout à coup je fais un clin d'œil à une autre personne sans que la première s'en aperçoive, je signifie à la deuxième personne : « je lui fais une blague ».*

La métacommunication dans ses différentes formes montre combien la communication humaine est riche et complexe. D'ailleurs, l'impossibilité de métacommuniquer conduit à des situations souvent douloureuses, voire dramatiques. C'est le cas des familles ou des couples qui adoptent, pour des raisons qui peuvent avoir leur origine dans les générations antérieures, une sorte de « loi du silence », consistant à éviter les sujets de désaccord ou de conflit potentiel, à ne pas parler de ce qu'ils éprouvent les uns pour les autres ou de ce qu'ils ressentent lorsqu'ils sont ensemble.

Par ailleurs, la métacommunication peut devenir un outil utilisé consciemment par un intervenant, un vendeur, un chef d'équipe, un coach, un conjoint pour clarifier les objectifs et les intentions et/ou rétablir une harmonie, une entente dans la relation.

- *Un patron s'adresse à son encadrement : « Mon objectif en vous présentant ces éléments du plan d'action stratégique pour l'année prochaine est que vous ayez des clés pour mobiliser vos équipes respectives. »*
- *Un homme parle à sa conjointe : « Est-ce que je dois comprendre que tu préférerais aller au restaurant ce soir ? »*
- *Un coach dit à son client : « Qu'appréciez-vous particulièrement jusque-là dans ma façon de travailler avec vous ? »*

Métacommuniquer comme outil revient donc à prendre du recul par rapport à la communication. Cela permet de modifier la perception que l'on a d'un sujet ou d'une relation et de repositionner les choses en clarifiant ou redéfinissant la ponctuation d'une relation. Par ailleurs, la métacommunication est une arme à double tranchant car elle peut être utilisée pour agresser l'autre.

- *Au travail :*
« *– Tu as vu comment tu me parles ! »*
« *– Je te parle comme je veux ! »*
- *En couple :*
« *– Pourquoi ne m'écoutes-tu pas ? »*
« *– Je ne fais que ça ! »*

Cela ne fait qu'aggraver la relation en cultivant le conflit car c'est une métacommunication qui est orientée vers les problèmes ou leurs causes et non vers les solutions, les motivations des comportements et la clarification des objectifs.

La métacommunication est ainsi à la fois un processus et un outil. Un processus car nous ne pouvons pas ne pas métacommuniquer dans le sens où nous transmettons constamment des métamessages à nos interlocuteurs à travers nos expressions verbales et non verbales, et un outil d'intervention qui permet volontairement de réguler et de faciliter les échanges grâce à une réelle prise de recul.

Toute communication est symétrique ou complémentaire

« On ne peut pas ne pas définir sa relation avec autrui. »
GREGORY BATESON

Quel type de relation établissons-nous avec nos interlocuteurs ? Dans quels jeux de pouvoirs, quels enjeux stratégiques entrons-nous bien souvent ?

L'étude des réactions des individus aux réactions des autres individus a amené Bateson à identifier deux types de relation : un type symétrique et un type complémentaire. Ainsi, tous nos échanges de communication sont soit symétriques, soit complémentaires, selon qu'ils sont axés sur la ressemblance ou sur la différence. Cela signifie que nous nous positionnons par rapport à l'autre d'une certaine façon et que l'autre se positionne par rapport à nous d'une certaine façon également.

Une relation de type symétrique se manifeste par ce que l'on peut appeler un « effet miroir ». Tout comportement de l'un des interlocuteurs entraîne un comportement identique chez l'autre.

- *Quelqu'un vous parle sur un ton autoritaire, vous lui répondez autoritairement également.*
- *Quelqu'un vous fait un compliment, vous lui faites un compliment en retour.*
- *Un collègue de travail ne vous adresse plus la parole, vous décidez de ne plus lui adresser la parole non plus.*
- *Quelqu'un vous fait un cadeau, vous lui faites un cadeau de même valeur quelque temps après.*

L'objectif d'une relation symétrique est de créer ou de maintenir une relation d'égalité entre les interlocuteurs.

En ce qui concerne le type complémentaire, la relation est fondée sur la reconnaissance, l'acceptation ou le désir d'établir une différence. Tout comportement de l'une des personnes impliquée dans une relation entraîne un comportement contraire chez l'autre.

- *Si A est autoritaire, B qui a des relations continues avec lui peut s'ajuster à son attitude en se montrant soumis ; cette soumission de B favorisera*

l'autorité de A dont le comportement appellera plus de soumission chez B ; ainsi A deviendra de plus en plus autoritaire et B de plus en plus soumis[9].

- *Quelqu'un fait une critique à propos d'une personne, vous répondez par une appréciation positive envers cette même personne.*
- *Quelqu'un vous agresse verbalement, vous lui répondez sur un ton calme et posé.*
- *Le policier interroge le suspect, celui-ci répond aux interrogations.*

L'objectif d'une relation complémentaire est d'établir une différenciation entre les interlocuteurs. C'est une sorte de répartition des rôles aux statuts différents. La relation complémentaire induit l'existence de deux positions : la position haute et la position basse. La position haute est une attitude qui consiste à diriger ou à vouloir diriger la relation, alors que la position basse se traduit par une acceptation de l'attitude de son interlocuteur envers soi et constitue donc une réponse conciliante aux initiatives de l'autre.

Par ailleurs, il est illusoire de penser que la position basse est nécessairement une attitude de soumission passive. Paul Watzlawick a montré qu'elle pouvait très bien être utilisée de façon volontaire pour influencer l'autre de manière constructive. En effet, il est important de discerner que celui qui adopte une position haute, consciemment ou inconsciemment, ne dirige pas nécessairement la relation. Il peut avoir l'illusion de la diriger ou de l'orienter mais ce n'est pourtant pas le cas. Ceux qui vivent une relation parent/enfant comprennent de quoi il s'agit ici : les parents se demandent parfois si malgré leurs messages d'autorité, ce n'est pas en fait leur enfant ou leur adolescent qui contrôle la relation et qui emporte certaines décisions ou orientent certains choix !

La position basse peut donc être utilisée stratégiquement. Cela signifie qu'adopter volontairement une position basse a des avantages.

- *Donner l'illusion à une personne autoritaire qu'elle dirige les choses.*
- *S'autoriser à déléguer une partie de son travail.*
- *Si je me montre désemparé pour aider mon fils à résoudre un problème de maths en lui disant que je n'en comprends pas l'énoncé et que je voudrais qu'il m'apporte son aide, je l'oblige à le lire et à tenter de le déchiffrer en*

9. E. Marc et D. Picard, *L'École de Palo Alto.*

même temps que moi : pendant ce temps-là, je lui apprends à travailler, ce qui est mon but.

* *En contexte de relation d'aide, c'est une attitude très constructive. En effet, un bon coach ou thérapeute sait que « le client est l'expert » et qu'il possède donc toutes les ressources pour évoluer, changer et résoudre ses problèmes. De ce fait, le rôle d'un coach ou d'un thérapeute n'est pas tant de proposer des conseils ou de dire à son client qu'il ne s'y prend pas de la bonne façon dans telle affaire, que de révéler sa capacité à atteindre ses objectifs. Un bon professionnel dans ce domaine sait que ce n'est pas lui qui possède les solutions et qu'il est stérile de projeter ses propres idées et façons de faire.*

Au contraire, il est plus efficace de l'écouter attentivement et de lui poser des questions constructives telles que :

* *Quel est votre objectif par rapport à cette situation ?*
* *De quoi auriez-vous besoin pour l'atteindre ?*
* *Lorsque vous n'avez pas ce problème, que faites-vous de différent, expliquez-moi comment vous agissez alors ?*
* *Sur une échelle de 1 à 10, où situez-vous la gravité de votre problème ?*
* *Comment se fait-il que vous soyez seulement à 5 et non à 7 ou 8 ?*
* *Imaginez que votre problème soit résolu, qu'avez-vous fait pour qu'il le soit ?*
* *Qu'est-ce qui vous empêche de le faire aujourd'hui ?*
* *Qu'est-ce que vous faites déjà aujourd'hui qui atténue votre problème ?*
* *Qu'est-ce qui vous empêche de le faire plus souvent ?*

En conclusion, on peut dire que toute relation humaine est une relation qui cherche un point d'équilibre et témoigne ainsi de la façon dont le pouvoir est réparti entre les partenaires.

Cet « équilibre » trouvé entre deux interlocuteurs peut paraître déséquilibré à un observateur ou aux personnes elles-mêmes. Il peut donc être vécu comme satisfaisant ou insatisfaisant. En effet, la façon dont la relation s'est cristallisée en une relation symétrique ou complémentaire a créé une relation gagnant/gagnant ou gagnant/perdant ou même perdant/perdant.

Une relation symétrique, par exemple, peut avoir évolué vers un véritable rapport de force, chacun se situant sur son pied d'estale qui se trouve à même hauteur que celui de son interlocuteur, et répondant critique pour critique avec une intensité croissante, autrement dit établissant une relation « œil pour œil, dent pour dent » ! Le risque d'une relation symétrique est qu'elle tende vers une dynamique de compétition excessive. Le méta-message de cette relation devient : « Je veux te montrer que je peux faire aussi bien que toi. » Une relation qui a pris cette tournure et se prolonge dans le temps devient oppressante.

De la même façon, une relation complémentaire peut développer une relation malsaine comme une relation victime/sauveur ou également ancrer une relation hiérarchique de façon rigide où l'un est toujours le décideur et l'autre toujours l'exécutant, ce qui réduit considérablement la capacité créative de la relation.

Lorsque nous avons connaissance de ce phénomène de symétrie et de complémentarité, il est de notre responsabilité d'identifier dans quel type de relation nous nous situons si nous voulons prolonger une relation gagnant/gagnant ou si nous voulons sortir d'une relation tendue ou conflictuelle. Dans ce dernier cas de figure, nous pouvons changer le type de relation que nous avons avec notre interlocuteur.

- *C'est-à-dire passer d'une relation symétrique à une relation complémentaire.*
  - *Ainsi, plutôt que de réagir systématiquement par un reproche à un reproche de votre collègue, vous pouvez décider de souligner et d'apprécier l'« intention positive » de son reproche qui peut être de « vouloir continuellement s'améliorer ». En faisant cela, il y a de fortes chances que votre interlocuteur se sente soudainement compris et qu'un nouvel échange plus constructif naisse entre vous et vous aide à clarifier vos attentes et stratégies pour atteindre votre but commun. Vous pourrez même sans aucun doute voir avec lui comment il pourrait manifester son désir d'amélioration continue autrement qu'en vous faisant des reproches sur votre travail !*
- *Ou passer d'une relation complémentaire à une relation symétrique.*
  - *Plutôt que de se soumettre aux exigences financières d'un client et de les accepter tout cru, dire respectueusement que cela ne correspond pas à vos tarifs et s'affirmer en proposant une autre alternative plus gagnant/gagnant.*

La création des relations symétrique ou complémentaire est finalement une sorte de jeu relationnel qui parle de notre relation au pouvoir. Ainsi, nous avons le pouvoir et donc la responsabilité de trouver le bon équilibre dans nos relations en fonction des objectifs et des contextes opérants.

Le piège de la double contrainte

 Le Diable demande à Dieu : « Je voudrais que Tu crées un rocher si lourd que même toi, Dieu, Tu serais incapable de le soulever. » Le Diable, par cette demande, mit Dieu dans une situation insoutenable. En effet, s'Il est capable de créer un tel rocher et s'Il le soulève, il n'est donc pas tout-puissant puisqu'Il n'a pas été capable de le créer assez énorme pour qu'Il ne puisse le soulever. Mais s'Il ne peut pas le soulever, alors cela signifie bel et bien qu'Il n'est pas omnipotent puisqu'Il n'a pas eu la capacité à le faire[10] !

Pour dénigrer l'omnipotence de Dieu et, par la même occasion, pour démontrer et affirmer la sienne, le Diable a mis en échec Dieu. Et il l'a fait à l'aide d'une « double contrainte ». Là aussi, Gregory Bateson a eu une influence déterminante dans la mise en relief de ce concept.

La présence des doubles contraintes est fréquente dans les échanges quotidiens. La double contrainte est un piège de la communication d'autant plus efficace qu'il est subtil. Il peut conduire à des impasses psychologiques et relationnelles. Cela signifie que la personne est prise dans une situation où quoi qu'elle fasse, elle a tort, elle est en faute ou elle est incompétente.

Cette impasse existe du fait que le message formulé est formé de deux éléments contradictoires qu'il n'est pas possible de concilier. Cela place alors la personne qui reçoit ce message dans l'impossibilité d'y répondre de manière satisfaisante. Voici quelques exemples classiques.

 • *« Sois spontané. » La personne qui ordonne ou suggère cela à quelqu'un place cette personne dans une situation paradoxale. En effet, soit cette personne suit ce conseil et du coup elle n'est plus vraiment spontanée puisqu'elle n'a fait qu'obéir à un conseil, soit elle désobéit à ce conseil en ne le suivant pas, et dans ce cas, elle n'a également pas pu faire preuve de spontanéité. Il est donc impossible pour elle d'obéir sans désobéir.*
• *C'est la même chose pour des messages comme : « Sois autonome », « Sois proactif », « Sois détendu ». Comment être autonome si on me l'ordonne ! Comment être proactif si on le fait à ma place en me demandant de l'être ! Comment être détendu si c'est une obligation !*

10. *Ibid.*

Il y a plusieurs façons de créer une double contrainte :
- *Par une incongruence entre les expressions verbale et non verbale. Quelqu'un vous dit : « Je ne t'en veux pas tu sais », tout en adoptant un comportement non verbal de reproche.*
- *Par l'expression d'un deuxième message verbal qui vient annuler le premier : « Je ne t'en veux pas, mais je n'oublierai pas ce que tu as fait. »*

Lorsque nous ressentons cette impasse sous forme d'un sentiment de blocage dans la communication avec autrui, nous sommes peut-être sous l'influence d'une double contrainte. Ces situations paradoxales sont donc nécessairement difficiles à vivre et à gérer. Elles parasitent la communication car elles créent nécessairement de la culpabilité, un sentiment d'impuissance, d'incompétence ou d'échec et de la frustration.

Pour dépasser une double contrainte, il faut se donner la possibilité de métacommuniquer.

- *« Monsieur le directeur, dit le cadre, je ne suis plus satisfait de mon salaire actuel.*
  – Eh bien, mon cher ami, répond le directeur, démissionnez ! »
  La seule façon de ne pas rester décontenancé par cette réponse inattendue est de répondre par exemple : « Ne pensez-vous pas qu'il y a d'autres solutions possibles ? » (Ce qui revient à élargir le cadre des solutions envisageables.)
  Ou : « Là, Monsieur le directeur, vous m'avez bien eu, je ne m'attendais vraiment pas à cette réponse. » C'est à la fois une réponse authentique car elle exprime ce que vous ressentez et, également, une façon d'induire une relation complémentaire plutôt que symétrique qui évite le conflit en plaçant le directeur dans une situation où son sens de la répartie est reconnu mais, aussi, où il perd immédiatement le pouvoir qu'il aurait pu avoir sur vous si vous aviez mal réagi à son ironie. L'escalade agressive est évitée et on peut repartir sur de nouvelles bases. Si vous, vous êtes capable de recevoir ses messages, alors lui, il doit être capable d'entendre vos demandes aussi.
- *Un exemple célèbre de double contrainte est celle de la mère qui offre à son fils deux cravates, une rouge et une bleue. Le lendemain, le fils met, pour faire plaisir à sa mère, la rouge, et la mère lui assène : « Comme ça, tu n'aimes pas la bleue ! ? » Elle place ainsi son fils dans une situation intenable car il sait désormais que s'il met la bleue, elle lui dira qu'il n'aime pas la rouge, et s'il décide de mettre les deux, il passera pour fou.*

Pour se sortir de cette situation, la meilleure réponse à adopter est : « Maman, je ne partage pas vraiment les mêmes goûts que toi en termes de cravates. En fait, je n'aime ni la rouge ni la bleue !... mais cela n'est pas important, ce qui est important c'est que je t'aime toi Maman. »
Sa mère ne peut être que satisfaite car son fils a capté son intention essentielle : s'assurer que son fils l'aime. De son côté, il évite la folie en méta-communiquant sur leur relation !

Ainsi, parfois, la meilleure façon de « gagner », c'est de ne pas jouer, c'est-à-dire de « ne pas rentrer dans le jeu » de notre interlocuteur ! Sortir de l'impasse imposée par une double contrainte est également possible en utilisant une communication paradoxale.

- *Une personne dit à son interlocuteur : « Je ne sais pas poser mes limites avec autrui. » Son interlocuteur lui répond alors : « J'exige que tu dises non à toutes les propositions que je vais te faire à présent. » Une fois l'étonnement passé, soit la personne accepte cette demande et donc elle va poser ses limites en le faisant, soit elle ne l'accepte pas et elle ne répond donc pas à votre exigence... et pose donc ses limites !*
- *Un coach peut suggérer différentes options pour aider un manager qui n'arrive pas à déléguer à son subordonné malgré son désir et l'évidente nécessité de le faire.*
  – Ce dernier peut proposer au subordonné d'aller plus fréquemment voir son chef et de lui demander son avis ou sa permission à propos de n'importe quelle broutille. En étant moins autonome vis-à-vis de son chef, il sature l'emploi du temps de celui-ci rendant la situation quasiment ingérable.
  – Ou alors, de demander à la hiérarchie de ce manager de déléguer encore moins auprès de son subordonné ! C'est ce qu'on appelle « prescrire le symptôme ». En allant dans le sens du problème, et donc de la « résistance » du manager, il réalisera rapidement qu'il y a plus d'inconvénients à ne pas déléguer qu'à déléguer. Concrètement, il comprendra, en le vivant, que de ne pas déléguer l'empêche de travailler sereinement, de consacrer suffisamment de temps à ses priorités et de rester performant en actualisant ses connaissances régulièrement par des lectures, formations ou temps passé avec ses pairs. Il finira par s'exclamer « Ça ne peut plus durer comme ça ! », et le coach pourra alors l'aider à mettre en place des conditions de délégation claires avec le subordonné.

On constate ainsi à travers ces exemples que le fameux « bon sens » est rarement efficace pour répondre de manière appropriée à une double contrainte, alors que l'utilisation d'une communication paradoxale l'est.

Le bon sens est souvent limité comme solution car il voit les choses au premier degré. Ainsi, on sait depuis longtemps maintenant que c'est la terre qui tourne autour du soleil. Cela n'empêche pourtant personne de toujours dire que le soleil se lève et se couche. Cette observation est pleine de « bon sens », elle est pourtant fausse !

Un nouveau regard sur le changement

Pour l'École de Palo Alto, le changement et l'apprentissage sont profondément reliés. En effet, tout comportement étant le fruit d'un processus d'apprentissage, un changement est un nouvel apprentissage qui aboutit nécessairement à de nouveaux comportements. La qualité de nos apprentissages est donc essentielle pour tout changement. Gregory Bateson a mis en relief l'importance du contexte dans tout apprentissage. L'apprentissage est dépendant du contexte dans lequel il s'effectue.

Et le « contexte » n'est pas un simple décor. C'est un cadre symbolique qui est porteur de normes, de règles et de rituels d'interaction. Il influence le rapport qui relie les interlocuteurs. Il doit donc être compris au sens large. Il se réfère à l'âge, au sexe, au statut social, aux normes et règles, au rapport des individus entre eux, aux rituels d'interaction.

Les rituels d'interaction ont d'ailleurs particulièrement intéressé Erving Goffman, un sociologue américain d'origine canadienne (1922-1982). Pour ce chercheur, l'interaction sociale est guidée par le souci de ne pas perdre la face, et cela se manifeste par de nombreux rituels. « Un échange ne se termine que lorsqu'il est possible de le lui permettre, c'est-à-dire lorsque chacun a signifié qu'il se considère rituellement satisfait[11]. » Il y a donc bien une organisation rituelle des contacts personnels, et ce quelles que soient les cultures, qui se manifeste à travers quantité de gestes, d'attitudes, d'expressions.

---

11. E. Goffman, *Les rites d'interaction*, Les Éditions de Minuit, 1974.

Expressions non verbales :
- *poignée de main pour accueillir quelqu'un ;*
- *autres gestes de « salut » dans d'autres cultures (par exemple, le « Wai » thaïlandais, ou le « Namaste » indien) ;*
- *éviter les longs silences lors d'un échange ;*
- *rester silencieux dans une salle d'attente.*

Expressions verbales :
- *« Comment ça va ? »*
- *« Excusez-moi. »*
- *« Après vous, je vous en prie. »*

Par ailleurs, le sens attribué à un comportement est dépendant du contexte dans lequel il se déroule.

 • *Si je rencontre un de mes collaborateurs dans son bureau, si je le croise dans les escaliers ou si je me retrouve à côté de lui lors d'un concert, je communiquerai différemment avec lui.*
- *Un cri au cours d'un jeu est perçu différemment qu'un cri dans une rue déserte.*
- *Être nu sous la douche est différent que d'être nu dans la rue et cela serait interprété différemment par vous et par les autres !*

Ainsi, pour comprendre une interaction entre individus, il faut cerner le contexte dans lequel elle se déroule. Cela permet d'en dégager la cohérence et de la rendre compréhensible.

Le contexte possède également plusieurs niveaux de communication, comme un mot a un sens différent selon la phrase dans laquelle il se trouve et la phrase dans le livre, et le livre dans le contexte social et culturel.

Par exemple, un échange entre deux personnes à un moment donné est imprégné de leurs communications antérieures, s'il y en a eu, de leur statut respectif lié au contexte dans lequel elles échangent, du lieu où elles se trouvent et du système plus large où elles se situent (famille, entreprise, pays étranger...).

Les différents niveaux d'apprentissage

Nos apprentissages sont donc dépendants du contexte dans lequel ils s'opèrent. Cela a conduit Gregory Bateson à mettre en relief une classification en quatre niveaux des processus d'apprentissage.

• **L'apprentissage de niveau 0 (zéro)**

C'est le niveau du comportement réflexe de survie. Il constitue une réponse immédiate à un stimulus.

• *Retirer sa main d'une source de chaleur trop forte.*
• *Freiner devant un obstacle soudain sur la route.*

• **L'apprentissage de niveau 1**

L'histoire du « chien de Pavlov » en est un exemple célèbre. Le chien apprend progressivement à saliver lorsque la cloche sonne, signal qu'un sucre va lui être donné. Le chien acquiert ainsi une réponse liée à un stimulus qui s'est répété.
On peut ainsi inclure dans cette catégorie tous comportements culturellement appris devenus « naturels ».
Dans la vie de tous les jours, en voici quelques exemples.

• *Lorsque le feu passe au rouge, le conducteur a appris à appuyer sur le frein et immobilise sa voiture.*
• *Lorsque l'on vous tend la main pour vous saluer, vous tendez la main à votre tour ou lorsqu'on vous dit bonjour, vous dîtes bonjour.*
• *Lorsque vous décidez de changer un objet de place, la poubelle sous votre bureau par exemple, avez-vous remarqué que pendant quelque temps, vous jetez encore vos papiers là où était votre poubelle précédemment ?*

• **L'apprentissage de niveau 2**

À ce niveau, il est devenu possible de transférer un apprentissage réalisé dans un certain contexte vers d'autres contextes. Le simple niveau stimulus/réponse des niveaux 0 et 1 est dépassé. Ce niveau montre que nous sommes capables de nous adapter à différents contextes, c'est-à-dire capables d'« apprendre à apprendre ».

- *Avoir appris à conduire avec une voiture et être capable de conduire n'importe quelle voiture aujourd'hui.*
- *Adapter l'usage d'une langue étrangère que nous avons apprise à l'école à la façon dont elle est réellement parlée dans le pays.*
- *L'ensemble de nos compétences professionnelles apprises au cours de notre formation initiale que nous avons adaptées à notre contexte de travail et qui sont modelées et enrichies à leur tour par ce contexte.*
- *Une formation à la communication ou au travail en équipe a permis des expériences et des prises de conscience qui ont conduit à des changements observables de comportements chez les membres de l'équipe.*

• L'apprentissage de niveau 3

Ce niveau introduit à son tour un changement dans le processus d'apprentissage de niveau 2.
Ce degré d'apprentissage nous permet en effet de changer les prémisses qui ont opéré sur les apprentissages de niveau 2. Le résultat est un changement dans nos croyances aboutissant à de nouveaux comportements plus adaptés au contexte.

- *Tout « travail sur soi » qui aboutit à une redéfinition de notre identité, à un dépassement de nos contradictions internes, à un changement de croyances, à une évolution de notre cadre de référence.*

Ce niveau opère donc une évolution des mentalités aboutissant à des changements comportementaux.
Ainsi, si le niveau 1 consiste à « apprendre » et le niveau 2 à « apprendre à apprendre », le niveau 3 peut être défini comme « apprendre comment on a appris à apprendre ».
La compréhension de ces différents niveaux d'apprentissage est particulièrement importante pour toute personne qui se trouve engagée dans un changement ou qui doit conduire un changement systémique. En effet, pour pouvoir s'adapter à l'évolution du contexte, il est nécessaire d'être capable, et de permettre aux autres d'être capables, d'être en « mode d'apprentissage de niveau 2 ou 3 ».

Les différents types de changement

Le changement est un vaste sujet qui a fait couler beaucoup d'encre. L'École de Palo Alto aborde naturellement le changement sous un angle systémique. Tous les éléments du système sont intereliés et sont nécessairement affectés par un changement et donc y participent plus ou moins activement. Le changement est donc ici pensé comme un processus complexe qui agit sur tous les éléments du système et qui est dépendant du but poursuivi et du contexte.

Concrètement, l'École de Palo Alto distingue deux niveaux de changement : le changement de niveau 1 qui se déroule au sein d'un système, et le changement de niveau 2 qui modifie les fondements et la structure du système lui-même.

• Le changement de niveau 1 : préserver l'équilibre

> « Plus on change, plus c'est pareil. »
> ANONYME

Il concerne une modification de certains éléments à l'intérieur d'un système sans que cela entraîne une évolution du système lui-même. Une des analogies utilisées par l'École de Palo Alto, à ce sujet, pour illustrer ce type de changement, est la suivante : c'est un peu comme appuyer sur la pédale d'accélération d'une voiture, cela permet d'augmenter sa vitesse sans modifier la configuration de la voiture.

Ainsi, plusieurs éléments à l'intérieur d'un système peuvent changer sans que le système lui-même change. Par exemple, le fait d'appuyer sur la pédale d'accélération a amené le moteur à tourner plus vite pour pouvoir « assumer » l'augmentation de vitesse engendrée. Cela a probablement également rendu le conducteur plus attentif et plus concentré sur sa route pour qu'il puisse aussi « assumer » son action d'accélérer.

Ce type de changement révèle et active le fameux principe d'« homéostasie ». L'homéostasie, c'est ce qui permet à un système de préserver son équilibre grâce à la mise en action d'effets auto-correcteurs sur les éléments internes ou externes susceptibles de le déstabiliser. Ces effets auto-correcteurs agissent ainsi comme des mécanismes de régulation. Leur but n'est pas de changer le système mais de lui permettre de rester le plus stable et opérationnel possible malgré le changement en cours.

Dans une communication entre deux personnes, celles-ci établissent entre elles une distance physique qui correspond à la distance sociale appropriée au contexte dans lequel elles se trouvent. Elles établissent ainsi inconsciemment dans leur relation une base de communication codée socialement. Si l'une d'entre elles venait à modifier cette distance, soit parce qu'elle appartient à une culture différente (les distances sociales ne sont pas les mêmes selon les cultures), soit parce qu'elle aime être proche des gens pour pouvoir les toucher, l'autre personne fera alors des tentatives conscientes et/ou inconscientes pour rétablir la distance qui correspond à sa zone de confort : faire légèrement un pas en arrière, lancer un regard à son interlocuteur pour lui faire comprendre qu'il est un peu trop dans sa bulle, positionner son bras légèrement vers l'avant comme pour arrêter l'autre...

La tendance à vouloir préserver sa zone de confort est extrêmement fréquente en communication. Le changement de niveau 1 n'est donc qu'un moyen pour assurer la stabilité de la relation. L'expression : « Plus ça change, plus c'est la même chose » que l'on entend parfois dans les entreprises ou à propos du système scolaire ou du monde politique traduit parfaitement la nature de ce changement.

Ce type de changement n'est en fait qu'un processus de régulation consistant à « faire plus de la même chose ».

- *L'École de Palo Alto prend l'exemple suivant à ce propos : les lois de la prohibition aux États-Unis dans les années 1930 avaient pour but d'éradiquer la consommation d'alcool aux États-Unis. Leur mise en application a entraîné une immense fraude et la création de mafias puissantes. En réaction à ce constat, la loi se fit plus dure pour exercer une répression plus forte encore... cela n'a fait qu'empirer les choses !*
- *Est-il cohérent de combattre le terrorisme par une réponse militaire ? Ne crée-t-on pas des terroristes en massacrant des innocents à l'autre bout du monde ?*

Cela signifie, comme l'a souligné brillamment Paul Watzlawick, que souvent « le problème réel est la solution adoptée ». En effet, bien souvent, ce n'est pas le problème qui « pose problème » mais bien plus la ou les solutions envisagées pour le résoudre.

 • *Un parent se trouve devant son enfant qui refuse de faire ses devoirs depuis trois jours. Devant l'oisiveté et la nonchalance de celui-ci, il se fait un peu plus sévère et plus exigeant : « Si tu ne te mets pas à faire tes devoirs dès aujourd'hui, tu seras puni. » Et plus le parent adopte cette attitude de sévérité, plus l'enfant est nonchalant. Le parent devient alors autoritaire, et face à cette autorité menaçante, l'enfant devient encore plus nonchalant. Le parent et l'enfant sont dès lors engagés dans un « pattern relationnel » où plus l'un est autoritaire, plus l'autre est nonchalant. Le même comportement appelle alors la même réponse. Le parent peut pourtant légitimement avoir l'impression qu'il modifie son attitude puisque de légèrement sévère au début, il est devenu autoritaire, mais en fait il ne fait que faire la même chose plus intensément. En retour, il a donc la même réponse, plus intense également !*
• *Cet échange entre un homme et le Petit Prince* est de toute beauté :*
  « Pourquoi bois-tu ?
  – Pour oublier.
  – Pour oublier quoi ?
  – Pour oublier que j'ai honte.
  – Honte de quoi ?
  – Honte de boire. »

Ainsi, plus on fait la même chose, plus on obtient le même résultat, et le vrai problème arrive lorsque la solution adoptée est devenue le problème. En appliquant un changement de type 1, on tourne en rond et on se donne simplement l'illusion du changement. En fait, le système (ou la relation) est « retombé sur ses pattes » et peut continuer à fonctionner « normalement ». Cela correspond malheureusement au « syndrome de l'autruche » qui consiste à « mettre la tête dans le sable » pour éviter de voir et surtout d'engager les changements réellement nécessaires pour s'adapter vraiment, et pas seulement en apparence, à la situation nouvelle.

Ce type de changement est donc limité et risqué pour résoudre des problèmes ou des conflits relationnels, surtout lorsqu'ils sont récurrents, parce qu'il ne permet pas d'optimiser réellement les ressources du système en adoptant des solutions qui l'amèneraient à évoluer en profondeur. Il est donc efficace seulement pour des situations où le désir est simplement

d'adopter « le réflexe du chat » à savoir retomber sur ses pattes (revenir à une situation confortable) :
- Respirer profondément pour arrêter de rougir ou de bégayer.
- Dire une blague pour dédramatiser une réunion un peu tendue.
- Un patron peut décider de convoquer à nouveau deux personnes qui sont en conflit dans le même service pour leur demander d'apprendre à s'écouter et se respecter. Elles peuvent approuver en apparence et se remettre à mieux travailler ensemble. Cependant, le fond du problème n'est pas résolu puisqu'il n'a pas été abordé et il suffira d'une nouvelle étincelle pour que le conflit resurgisse et s'embrase à nouveau.

Il ne permet donc pas un changement de « paradigme ». C'est là l'objectif du changement de niveau 2.

- **Le changement de niveau 2 : permettre l'évolution**

> « Il faut penser le changement plutôt que changer le pansement. »
> FRANCIS BLANCHE

Lorsqu'un système est soumis à un changement, que celui-ci soit issu d'une pression externe (comme les nouvelles exigences du marché), ou d'une pression interne (comme la nécessité d'engager un nouveau collaborateur pour pouvoir gérer plus efficacement l'évolution des activités d'un service dans une entreprise), cela déclenche, plus ou moins intensément, des résistances au changement.

Une résistance est fondamentalement une fonction homéostatique qui a pour but de maintenir le plus possible le système en l'état présent. C'est cela l'intention positive d'une résistance au changement. Elle a donc sa raison d'être et n'est pas négative en soi. Ainsi, heureusement que nous pouvons résister au vent lorsque celui-ci souffle fort, sinon nous serions emportés comme une plume. Une résistance au changement peut donc être l'expression d'une prudence et d'un discernement parfois salutaires. Ces qualités permettent de prendre du recul par rapport au changement envisagé, de prendre le temps de la consultation plutôt que de foncer dans le mur ou de sauter dans le vide.

Par ailleurs, ce qui est réellement problématique, c'est l'excès de résistance.

Un excès de résistance peut amener un dirigeant par exemple à finir par baisser les bras et à finalement reculer devant des revendications intenses contre le changement proposé.

Combien de réformes de société proposées et engagées par des hommes ou femmes politiques ont été finalement abandonnées suite à un « soulèvement populaire » ?

Une réforme possède en elle de nouveaux ingrédients, de nouveaux paramètres qui peuvent permettre d'améliorer la situation et de mieux s'adapter au contexte, même si elle ne la rend pas parfaite.

C'est parfois la peur de l'inconnu qui déclenche les résistances au changement. La fameuse expression : « On sait ce qu'on perd mais on ne sait pas ce que l'on gagne » montre bien que changer véritablement c'est aller vers l'inconnu, ou le moins connu, et que cela suppose d'abandonner un peu ou beaucoup de l'équilibre sécurisant, parfois durement acquis, que nous vivions depuis quelque temps. Changer de condition, de dynamique, d'organisation, de stratégie ou de style, c'est donc inévitablement devoir faire le deuil de la situation antérieure. Et le deuil est un processus qui ne se fait pas en un jour et qui est parfois douloureux avant d'aboutir pleinement à l'acceptation de la nouvelle situation.

Lorsque nous commençons à mesurer que les avantages sont de toute évidence plus nombreux que les inconvénients, le changement commence à prendre sens pour nous. Étonnamment, c'est à ce moment-là que nous acceptons de changer nous-mêmes et nous devenons à notre tour agent de changement. Nous retrouvons confiance, énergie, motivation, voire sérénité.

Si, au contraire, dans les cas de nécessité d'un changement en profondeur, ce sont seulement des solutions superficielles, de type « pansements », qui sont proposées et appliquées, alors la personne ou le système risque de manquer de souplesse, de capacité d'adaptation, de réactivité, de créativité et d'énergie pour affronter les exigences du contexte. Il risque de finir par se gripper, se rouiller, imploser ou exploser.

 • *Que penser de l'interdiction du port du foulard dans les écoles françaises ? Dans un monde où la diversité culturelle fait partie de la vie de tous les jours, où les contacts interculturels ne vont cesser de croître, quel message*

transmet-on aux étudiants au nom de la laïcité ? La loi qui interdit les signes religieux à l'école n'impose-t-elle pas la laïcité comme une valeur exclusive ? La laïcité est-elle une valeur figée ou peut-elle s'adapter aux réalités de son époque ? Cette loi n'est-elle qu'un « pansement » qui empêche d'affronter les vraies questions de la diversité culturelle et religieuse du monde contemporain ?

- *Imaginez une personne qui trouve qu'elle a trop le trac lorsqu'elle a à parler en public. Elle décide alors de faire preuve de plus de volonté pour combattre son stress. Ce combat intérieur mobilise alors tellement son énergie avant et pendant sa prise de parole en public que son trac augmente inévitablement. Un ami lui conseille alors de changer de méthode : « Annonce donc d'emblée à ton auditoire que tu te sens nerveux et qu'il se peut que tu aies des blancs à certains moments de ta présentation. » C'est une proposition qui s'est avérée fort utile, car bien sûr le simple fait de ne plus avoir à contrôler et à cacher son stress en disant cela, a suffi à décontracter cette personne et à la rendre par conséquent bon orateur !*

- *Imaginez une personne qui lutte contre son insomnie en essayant de faire toujours plus preuve de volonté pour arriver à trouver le sommeil. Elle s'astreint alors de plus en plus à prendre des somnifères, à respecter des rituels de coucher de plus en plus élaborés, etc. Et plus elle fait cela, moins elle trouve le sommeil ! Comment pourrait-il en être autrement puisque s'endormir et dormir profondément sont des actions naturelles, involontaires et spontanées. Tant que la personne n'aura pas admis cela, elle restera insomniaque. Ce n'est pas à elle de trouver le sommeil, c'est au sommeil de la trouver !*

Pour que le système trouve les solutions appropriées pour véritablement s'adapter, il doit remettre en cause certaines de ses règles de fonctionnement, réévaluer sa vision des choses, adopter de nouveaux schémas de référence, mobiliser ses ressources vers un objectif redéfini et faire preuve de maturité.

- *Amplifier la pratique d'un éventail plus large de techniques pédagogiques profiterait à tous les enfants, sans « parquer » ceux qui ont une différence dans des « classes à problèmes », qui ne font que leur confirmer qu'ils ont un « problème », puisqu'ils sont ici. Ne devrait-on pas plutôt se demander s'il s'agit d'un « problème d'enseignement » ! Cela permettrait également de faire vivre pleinement aux enfants l'expérience de la diversité et de la tolérance, en élargissant ainsi leur vision des choses.*

- *Lors des émeutes parisiennes de 1838, un officier reçut l'ordre de faire évacuer la place en tirant sur la « canaille ». Il fit prendre position à ses soldats qui mirent la foule en joue. Dans le silence profond qui s'établit alors, il s'écria : « J'ai reçu l'ordre de tirer sur la canaille ; mais comme j'aperçois devant moi beaucoup d'honnêtes gens, je leur demande de se retirer pour que je puisse exécuter cet ordre[12]. » En aussi peu de temps qu'il avait fallu pour le dire, la place s'était vidée. Cet officier a utilisé un recadrage très efficace. Il ne change pas la situation elle-même mais il la place dans un autre cadre. D'un contexte où, d'après les supérieurs de cet officier, cette place était remplie de canailles, on passe à un contexte où il n'y a plus de canailles sur cette place. L'attitude de cet officier est donc très intelligente car elle modifie la « réalité de la situation ». Il a, sans le savoir, réalisé un changement de niveau 2, car il en a changé la prémisse initiale : « il y a des canailles sur cette place ». Est ainsi évité un bain de sang qui n'aurait pu faire qu'amplifier la révolte. C'est un exemple de la manière dont on peut atténuer une crise en adoptant une solution qui ne soit pas « plus de la même chose » (en l'occurrence, « plus de répression, plus de victimes » qui aurait créé « plus de révolte et d'émeutes » en retour). Comme quoi, la façon d'intervenir pour atteindre un objectif est déterminante.*

S'opposer aux résistances ne fait généralement que les amplifier. Imaginez que vous discutiez avec votre responsable d'équipe sur la meilleure stratégie à adopter pour réaliser tel mandat. Et que vous ne soyez de toute évidence pas d'accord entre vous, cela peut arriver. Et bien, si vous décidez de convaincre votre responsable que sa stratégie est erronée en le lui disant ouvertement, il y a de fortes chances que vous activiez ses résistances et qu'il commence, lui aussi, à argumenter encore plus sur le bien-fondé de sa position. Comme le dit un proverbe chinois : « Vouloir convaincre quelqu'un qu'il a tort, c'est comme ajouter du bois pour éteindre le feu. » Souvenez-vous que ce à quoi vous résistez persiste. La résistance alimente la résistance.

---

12. E. Marc et D. Picard, « *L'École de Palo Alto* », édition RETZ, 2006.

Le recadrage

Selon Paul Watzlawick, le recadrage est une « intervention qui consiste à changer la réponse interne d'une personne devant un comportement ou une situation en modifiant le sens qu'elle lui accorde ».

Ayons à l'esprit que : « La signification d'un comportement dépend du cadre dans lequel on le place. » Notre vision des choses, nos points de vue sont ainsi influencés par nos cadres de référence.

- Les planètes ne sont pas perçues de la même façon par un astronome amateur, un astrophysicien, un astronaute, ou un astrologue... et ils n'en parleront pas de la même façon.
- Les cultures influencent notre sens gustatif : avez-vous déjà essayé de manger un criquet, un serpent ou un plat très épicé ? Ce qui est normal pour certains est exceptionnel pour d'autres.
- Dans le cadre de la défense de son pays, « tuer » est souvent perçu comme un acte héroïque valorisé et récompensé. Par ailleurs, dans le cadre de la vie en société en contexte de paix, « tuer » est un acte immoral hautement condamné. Même si l'« action » est la même, le cadre dans lequel elle s'inscrit en modifie considérablement la signification.

« Recadrer » consiste à permettre à notre interlocuteur d'envisager les choses sous un autre angle. Cette mise en perspective « élargit le cadre » de celui-ci et lui donne ainsi plus d'options, ce qui est particulièrement utile lorsqu'il s'agit de prendre une décision, c'est-à-dire de faire un choix.

Pour optimiser notre intervention auprès de notre interlocuteur, que ce soit pour clarifier, expliquer, convaincre, négocier, ou motiver, il est parfois utile de savoir modifier le cadre dans lequel celui-ci perçoit une situation. En effet, même si la situation elle-même ne change pas, la perception de cette situation peut changer.

Recadrer représente souvent une étape indispensable pour permettre un changement, que ce soit au niveau individuel ou au niveau d'une équipe.

Les différents types de recadrage

- Le recadrage de sens

Il consiste à modifier la signification qu'une personne accordait jusque-là à un comportement ou à une situation. Cela est souvent pertinent lorsqu'une personne émet une plainte sous la forme : « je suis trop/pas assez *x* » ou « je me sens trop/pas assez *x* » ou « je me trouve trop/pas assez *y* ».

Le recadrage de sens permet de transformer un défaut en qualité. Ces deux états ne sont que des points de vue.

C'est le regard de certaines personnes significatives ou son propre regard qui ont transformé cette motivation initiale en « défaut » ou en « problème de comportement ». Recadrer correspond vraiment à l'expression : « Voir la bouteille à moitié pleine plutôt que la bouteille à moitié vide. » Cependant, recadrer ne consiste pas à faire du positivisme excessif. Un recadrage est une nouvelle perspective réaliste à laquelle la personne n'avait tout simplement pas pensé ou qu'elle avait oubliée.

Exemple 1

Par exemple, une personne vous dit :
- Je me trouve trop impulsif.
- Je me trouve trop prudent.
- Je ne me trouve pas assez discrète.
- Je trouve que je suis trop lente.

Que pourriez-vous répondre à cela ?
- Cela prouve que tu es une personne pleine d'énergie/proactive.
- Cela montre que tu as du discernement.
- Cela prouve que tu es quelqu'un qui a du leadership.
- Cela démontre que tu es une personne rigoureuse qui a à cœur le travail bien fait.

Exemple 2

En séance de coaching, je reçois une personne qui me dit « être timide avec les autres ». Je lui réponds aussitôt : « Comment avez-vous *trouvé le courage* de venir jusqu'ici pour *m'affirmer* que vous êtes une personne timide ? » L'effet de surprise passé, cela lui a pris seulement quelques secondes pour réaliser qu'elle n'était peut-être pas aussi timide qu'elle le pensait.

Métaphores
- Un touriste en visite dans une léproserie photographiait une religieuse en train de faire un pansement à un lépreux. Après avoir pris ses photos, il s'exclama : « Même si on me donnait tout l'or du monde,

jamais je ne ferai un tel travail ! » La religieuse lui répondit : « Vous avez raison, moi non plus ! »

- Un porteur d'eau indien avait deux grandes jarres, suspendues aux deux extrémités d'une pièce de bois qui épousait la forme de ses épaules. L'une des jarres avait un éclat, et, alors que l'autre jarre conservait parfaitement toute son eau de source jusqu'à la maison du maître, l'autre jarre perdait presque la moitié de sa précieuse cargaison en cours de route. Cela dura deux ans, pendant lesquels, chaque jour, le porteur d'eau ne livrait qu'une jarre et demi d'eau à chacun de ses voyages.

Bien sûr, la jarre parfaite était fière d'elle, puisqu'elle parvenait à remplir sa fonction du début à la fin sans faille.

Mais la jarre abîmée avait honte de son imperfection et se sentait déprimée parce qu'elle ne parvenait à accomplir que la moitié de ce dont elle était censée être capable. Au bout de deux ans de ce qu'elle considérait comme un échec permanent, la jarre endommagée s'adressa au porteur d'eau, au moment où celui-ci la remplissait à la source.

« Je me sens coupable, et je te prie de m'excuser.

– Pourquoi ? demanda le porteur d'eau. De quoi as-tu honte ?

– Je n'ai réussi qu'à porter la moitié de ma cargaison d'eau à notre maître, pendant ces deux ans, à cause de cet éclat qui fait fuire l'eau. Par ma faute, tu fais tous ces efforts, et, à la fin, tu ne livres à notre maître que la moitié de l'eau. Tu n'obtiens pas la reconnaissance complète de tes efforts », lui dit la jarre abîmée.

Le porteur d'eau fut touché par cette confession, et, plein de compassion, répondit : « Pendant que nous retournons à la maison du maître, je veux que tu regardes les fleurs magnifiques qu'il y a au bord du chemin. »

Au fur et à mesure de leur montée sur le chemin, au long de la colline, la vieille jarre vit de magnifiques fleurs baignées de soleil sur les bords du chemin, et cela lui mit du baume au cœur. Mais, à la fin du parcours, elle se sentait toujours aussi mal parce qu'elle avait encore perdu la moitié de son eau.

Le porteur d'eau dit à la jarre : « T'es-tu rendu compte qu'il n'y avait de belles fleurs que de TON côté, et presque aucune du côté de la jarre parfaite ? C'est parce que j'ai toujours su que tu perdais de l'eau, et j'en ai tiré parti. J'ai planté des semences de fleurs de ton coté du chemin, et, chaque jour, tu les as arrosées tout au long du chemin. Pendant deux ans, j'ai pu, grâce à toi, cueillir de magnifiques fleurs qui ont décoré la table du maître. Sans toi, jamais je n'aurais pu trouver des fleurs aussi fraîches et gracieuses. »

• Le recadrage de contexte

Il consiste à replacer un comportement - qu'il soit perçu comme négatif ou limitant - dans un autre contexte où il deviendra positif et constructif.

Exemple 1
La célèbre thérapeute familiale, Virginia Satir, recevait dans son bureau un père et sa fille. Celui-ci se plaignait que sa fille était une vraie « tête de cochon ». Plus il affirmait cela et donnait des exemples, plus sa jeune fille de 16 ans lui « faisait la tête » ou lui « tenait tête ». À un moment donné, Virginia Satir se tourna vers le père et se mit à lui parler d'autre chose que de la relation avec sa fille. Comme elle connaissait certains éléments de son parcours professionnel, elle fit une courte pause et lui rappela : « Vous savez, monsieur, que je suis admirative de votre parcours au sein de votre entreprise. Je me souviens que vous avez véritablement commencé au bas de l'échelle en étant portier et qu'après trente ans de travail acharné, vous êtes devenu vice-président de cette grande entreprise... et j'imagine que cela a dû vous demander une détermination, une persévérance et une volonté extraordinaires pour y parvenir. » Cet homme acquiesçait naturellement aux paroles de Virginia. Elle fit une pause de silence à nouveau, puis reprit : « ... et quelle joie cela doit être pour vous de constater que vous avez de toute évidence transmis ces qualités à votre fille. » Et le père, en état de grande écoute et acquiescement, ne put qu'approuver le constat de la thérapeute, qui ajouta : « ... et comme cela doit lui être utile lorsqu'elle a affaire à des prétendants un peu trop entreprenants ! »
Voici un superbe recadrage de contexte réalisé par Virginia Satir : un comportement problématique (« la tête de cochon » de sa fille) devient pour le père une qualité dans un autre contexte (« celui de tenir tête à ses prétendants »).

Par ailleurs, dans notre vie quotidienne, on peut proposer des recadrages de contexte à partir des mêmes types d'énoncés vus précédemment : « Je suis trop/pas assez. »

Exemple 2
• Je suis trop sensible.

- Je ne suis pas assez affirmé.
- Je me trouve trop spontané au travail.

Vous pouvez réaliser un recadrage de contexte en répondant de la façon suivante :
- Cela doit t'aider dans ton travail de thérapeute pour comprendre ce que vivent les gens.
- Cela doit t'être utile dans des situations où il vaut mieux faire profil bas.
- Par ailleurs, cela doit être apprécié par tes amis.

Le recadrage de contexte permet ainsi à la personne de réaliser que le comportement qu'elle aimerait changer peut être particulièrement approprié et utile dans une autre situation. Cela ouvre de nouvelles possibilités tout comme le recadrage de sens.

Métaphore

Il y avait, dans un village, un homme très pauvre qui avait un très beau cheval. Le cheval était si beau que les seigneurs du château voulaient le lui acheter, mais il refusait toujours. « Pour moi ce cheval n'est pas un animal, c'est un ami. Comment voulez-vous vendre un ami ? » demandait-il. Un matin, il se rend à l'étable et le cheval n'est plus là. Tous les villageois lui disent : « On te l'avait bien dit ! Tu aurais mieux fait de le vendre. Maintenant, on te l'a volé... quelle malchance ! » Le vieil homme répond : « Chance, malchance, qui peut le dire ? » Tout le monde se moque de lui. Mais quinze jours plus tard, le cheval revient avec toute une horde de chevaux sauvages. Il s'était échappé, avait séduit une belle jument et rentrait avec le reste de la horde. « Quelle chance ! » disent les villageois. Le vieil homme et son fils se mettent au dressage des chevaux sauvages. Mais une semaine plus tard, son fils se casse une jambe à l'entraînement. « Quelle malchance ! disent ses amis. Comment vas-tu faire, toi qui es déjà si pauvre, si ton fils, ton seul support, ne peut plus t'aider ? » Le vieil homme répond : « Chance, malchance, qui peut le dire ? » Quelque temps plus tard, l'armée du seigneur du pays arrive dans le village, et enrôle de force tous les jeunes gens disponibles. Tous... sauf le fils du vieil homme, qui a sa jambe cassée. « Quelle chance tu as, tous nos enfants sont partis à la guerre, et toi tu es le seul à garder avec toi ton fils. Les nôtres vont peut-être se faire tuer... » Le vieil homme répond : « Chance, malchance, qui peut le dire ? »

Recadrer est une étape qui permet d'envisager de « faire moins de la même chose qui ne marche pas » pour « faire plus d'une chose qui marche ». Avez-vous remarqué que, pour réaliser un recadrage efficace, il est utile de se demander quelle est l'intention positive de notre interlocuteur pour la mettre en avant ? Ainsi, par exemple, l'intention positive de « je suis trop prudente » peut être : « vouloir faire preuve de discernement » ou « tenir à posséder le maximum de données avant de prendre une décision éclairée et efficace ».

Par ailleurs, pour être efficace, un recadrage présuppose que la relation avec votre interlocuteur soit déjà une relation de confiance. Cela augmente la portée de votre recadrage. Une autre condition pour qu'un recadrage soit efficace est qu'il respecte l'« écologie » de votre interlocuteur, c'est-à-dire sa cohérence interne. Il est donc important de connaître un peu la personne et d'avoir des informations sur ses valeurs, sa situation présente dans tel contexte, ses objectifs... Comme le dit très bien Edouard Finn : « Il ne s'agit pas comme dans *Cyrano* de suggérer qu'un long nez peut servir de perchoir aux oiseaux. » C'est bel et bien un recadrage... mais blessant ! L'objectif de la technique du recadrage est d'élargir la vision des choses de votre interlocuteur, de lui apporter plus d'options. Il s'agit de l'aider et non de le juger.

Pour mesurer l'impact d'un recadrage, il est utile d'observer les réactions de notre interlocuteur. En effet, certains changements physiologiques indiquent si le recadrage est efficace : un changement de la coloration de la peau, de la respiration, de la tension musculaire, un rire, un regard étonné ou un « eh bien je n'avais jamais vu ça comme ça avant ! ». Dans le cas où le recadrage que vous avez tenté n'a de toute évidence pas d'impact, qu'il est comme un coup d'épée dans l'eau, il est inutile de le répéter. Trouvez-en un autre. Un recadrage n'est pas une leçon de morale, c'est une proposition pour envisager les choses autrement.

La PNL : la programmation neuro linguistique

Historique et objectifs

Au cours des années 1970, des chercheurs américains en communication, John Grinder (linguiste et psychologue), Richard Bandler (mathématicien et psychologue), Leslie Cameron (psychothérapeute) et Judith De Lozier

(anthropologue), s'interrogent sur la façon dont les êtres humains apprennent, intègrent leurs expériences, communiquent, s'influencent mutuellement et changent. Leurs interrogations sont les suivantes :
• Comment influencer avec intégrité ?
• Comment changer réellement ?
• Qu'est-ce que l'excellence humaine ?
• Comment est-elle possible ? ou Comment font les personnes qui réussissent à atteindre leurs objectifs ?

Ainsi, la PNL se centre sur l'expérience humaine et plus précisément sur ce qu'elle nomme l'« excellence ». L'excellence est le résultat de l'aptitude individuelle ou collective à mobiliser et à exploiter de façon optimale l'ensemble des ressources nécessaires à la réalisation d'objectifs. Pour cela, elle se centre sur le « comment » plus que sur le « pourquoi ». En effet, la PNL postule qu'il est plus constructif de se centrer sur la structure de l'expérience subjective des personnes plutôt que sur les origines et les causes des dysfonctionnements. Autrement dit, il est utile, à son avis, de cerner comment quelque chose fonctionne plutôt que pourquoi elle ne fonctionne pas : en effet, « ce n'est pas parce que l'on sait pourquoi une porte est fermée que cela nous donne la clé pour l'ouvrir ». À partir de leurs observations, ils créent finalement des modèles qui expliquent ces données.

La PNL est une démarche pragmatique qui, dès son origine, a puisé dans différentes sources pour élaborer les modèles qu'elle propose :
• la cybernétique qui a apporté la notion essentielle de feedback ;
• la linguistique ;
• la théorie des systèmes ;
• Milton Erickson, « thérapeute hors du commun », utilisateur de génie des formes de communication indirecte et hypnotique ;
• Gregory Bateson, anthropologue à l'origine de l'École de Palo Alto ;
• Virginia Satir, pionnière en thérapie familiale ;
• Fritz Perls, créateur de la Gestalt thérapie.

L'objectif de la PNL est de découvrir comment une personne, un groupe, une organisation s'y prend pour atteindre des résultats spécifiques.

Ainsi, la finalité de la PNL est de permettre à toute personne souhaitant optimiser ses facultés d'apprentissage, de communication, de changement, de prendre connaissance des processus d'excellence qui existent dans ces domaines pour pouvoir les appliquer à ses objectifs personnels.

En modélisant des experts dans leur domaine, ils ont en effet mis à jour des mines d'or d'informations sur les croyances, stratégies, états émotionnels, comportements verbal et non verbal de ces derniers.

Le propos de la PNL est donc, dans un premier temps, de modéliser l'excellence, pour pouvoir proposer, par la suite des outils pour :
• Clarifier ses objectifs personnels et professionnels ;
• Créer des relations interpersonnelles de qualité ;
• Intervenir de façon efficace en contexte de travail ;
• Pouvoir prendre des décisions et faire des choix éclairés en situation de changement ou de crise ;
• Dépasser ses limites (supprimer une phobie ou un comportement de dépendance par exemple) ;
• Se projeter efficacement dans le futur pour construire sa vie.

La programmation neuro linguistique est donc l'art de la modélisation. Ses domaines d'application sont vastes : santé, thérapie, coaching, leadership, vente, gestion du changement, management, enseignement, sport, équilibre entre vie personnelle et professionnelle. C'est un domaine qui s'est considérablement développé depuis ses origines et les publications à son sujet sont nombreuses. C'est aujourd'hui un terrain fertile où l'on peut puiser des informations et des outils d'intervention pertinents et efficaces.

La PNL constitue ainsi :
• L'étude de la structure de l'expérience subjective de l'être humain ;
• Un cadre de référence pour la communication et le changement ;
• Un coffre à outils qui s'enrichit continuellement.

PNL : La signification des trois lettres

> *« Lorsque nos sens ont perçu le monde réel et que notre cerveau*
> *a construit un modèle représentant nos expériences,*
> *ce modèle détermine nos comportements. »*
> GÉNIE LABORDE

Programmation

Ce terme fait référence à l'ensemble de nos apprentissages. Tout au long de notre vie nous apprenons constamment : à marcher, parler, faire du vélo, écrire, conduire, étudier, vivre à deux, travailler, créer... Pour la PNL, la façon dont nous réalisons nos apprentissages, autrement dit dont nous intégrons nos expériences, détermine nos comportements. Ainsi, nos apprentissages sont codés dans la mémoire sous forme de croyances, de stratégies, d'ancrages sensoriels qui constituent autant de schémas de référence. Ces apprentissages sont appelés « programmes ». Ce sont nos programmes qui expliquent nos réponses comportementales.

Je vous propose un petit exercice : pouvez-vous croiser vos bras s'il vous plaît ? Je vous remercie. Maintenant, faites-le autrement s'il vous plaît ! Que remarquez-vous ? Êtes-vous confortable en tentant de croiser les bras autrement, différemment qu'à l'habitude ? Y arrivez-vous seulement ?

Votre réflexe spontané a été de les croiser exactement comme vous le faîtes toujours. Pourquoi ne pas le faire spontanément autrement ? Parce que lorsque nous avons appris d'une certaine façon, nous répétons automatiquement cet apprentissage. Nous nous sommes programmés !

Neuro

Le cerveau établit des connexions à partir des informations qu'il reçoit des cinq sens. Pour la PNL, notre système sensoriel est à la base de nos apprentissages. Notre sensorialité est en quelque sorte le prolongement et l'expression physiologique de notre sensibilité. Toute expérience est sensorielle dans le sens où elle est en premier lieu dépendante de nos cinq sens.

Notre système sensoriel est noté : VAKOG.
- V pour « Visuel ».
- A pour « Auditif ».
- K pour « Kinesthésique ».
- O pour « Olfactif ».
- G pour « Gustatif ».

Notre « système de perception sensorielle » est noté VAKOG$_e$. L'indice $_e$ signifie « externe ». Grâce à nos cinq sens, nous pouvons voir, entendre, sentir, goûter et toucher le monde qui nous entoure.

• *Grâce à vos sens, vous pouvez en ce moment même lire cette phrase, entendre les petits bruits autour de vous et sentir l'épaisseur de la page sous vos doigts. Et peut-être êtes-vous en train de siroter un jus de fruit dont vous appréciez le goût ou de sentir l'odeur de votre plat préféré qui mijote. Tout cela grâce à votre système de perception sensorielle.*

Notre « système de représentation sensorielle » est noté VAKOG$_i$. L'indice $_i$ signifie « interne ». Nos sens étant tous reliés à notre cerveau par des nerfs (optique, auditif, etc.), c'est dans celui-ci que sont stockées toutes les informations perçues par les sens. Toutes nos expériences sont codées sous forme de représentations internes et s'inscrivent ainsi dans notre mémoire.

Lorsque nous pensons à nos souvenirs, à des expériences vécues, cela réactive en nous : des images (couleurs, environnement, formes), des sons (paroles, bruits, musiques), éventuellement des odeurs ou des goûts, puis des sensations et des sentiments. Toutes nos représentations sensorielles sont mobilisées à nouveau à l'évocation de nos souvenirs passés. Cette faculté de représentation nous permet également d'imaginer, de créer, de conceptualiser et de nous projeter dans l'avenir. Elle est le fondement de notre imaginaire créatif. Elle donne forme dans notre esprit à nos besoins, à nos désirs et nous permet de créer des symboles. Pour conclure, nous pouvons dire que « l'être humain ne peut pas ne pas se représenter ce qu'il vit ».

• *Vous pouvez également penser maintenant à un citron, à la Tour Eiffel ou à votre chat sans qu'ils soient réellement devant vous. Vous êtes capable de vous les représenter grâce à votre système de représentation sensorielle.*
• *Boris Cyrulnik explique en quoi nos représentations, une fois inconscientes, conditionnent à leur tour nos perceptions du monde externe : « Chez l'homme la représentation prend le pas sur la perception. Un accident domestique permet de soutenir cette idée. Il arrive qu'un homme, la nuit, désirant boire du vin à la bouteille, se trompe et prenne à la place une bouteille d'eau de Javel. Or, il lui faut plusieurs goulées avant de se rendre*

compte de son erreur. L'idée de vin a masqué la perception caustique de la soude. Cet accident, qui n'est pas rare, explique pourquoi les bouteilles sont différentes aujourd'hui. » Perceptions et représentations fonctionnent donc ensemble, en boucle.

- Essayez de « ne pas penser à la Tour Eiffel ». Aussitôt vous avez une image des mots « Tour Eiffel » évoqués par l'écrit ou la parole. Vous pouvez penser et voir volontairement autre chose, mais vous aurez néanmoins une représentation en tête.

- Demandez à quelqu'un de dessiner « quelqu'un qui ne plante pas un arbre ». La personne pourra toujours dessiner un arbre avec quelqu'un à côté tenant une pelle, puis faire une croix sur ce dessin pour tenter de respecter la consigne, ou alors dessiner tout simplement autre chose. Malgré ces choix possibles, une personne découvrant ensuite ce dessin sans connaître la consigne de départ aura fort peu de chances de s'exclamer : « Ah, mais vous avez dessiné un homme qui ne plante pas un arbre ! » Comme il ne nous est pas possible, littéralement, de dessiner « un homme qui ne plante pas un arbre », car nous ne pouvons pas nous représenter telle quelle cette évocation, nous créons une représentation qui assimile à sa façon la présence de la négation dans la formulation. C'est pour cela que l'on entend parfois l'expression : « Le cerveau n'accepte pas la négation ! »

- Imaginez à présent un citron. Oui, un citron bien jaune que vous visualisez. Imaginez que vous en coupez une belle rondelle à présent. Puis vous la portez à votre bouche et commencez à la croquer, à la mâcher. Bien sûr, vous pouvez avaler pleinement le jus du citron. Au bout de quelques secondes, vous vous apercevez que le simple fait d'imaginer avoir dans la bouche une rondelle de citron déclenche des réactions physiologiques : de salive, de déglutition, de frissons ; des sensations de présence du jus dans la bouche, d'acidité ; créant des sentiments agréables et de plaisir si l'on aime le citron et désagréables si l'on n'aime pas. Nos représentations déclenchent des réactions physiologiques et comportementales.

 Dans une fable indienne, plusieurs aveugles tentent de décrire un éléphant : celui qui touche une oreille en conclut que c'est un éventail, celui qui touche une patte pense que c'est une colonne, et celui qui touche la trompe pense que c'est un tuyau.

Linguistique

Les langages verbal et non verbal révèlent notre programmation interne. Littéralement, notre langage rend compte de notre expérience interne.

Pour la PNL, le langage est un modèle (terme dont l'étymologie signifie « qui rend compte de ») qui traduit les expériences mémorisées sous forme de « programmes » par le cerveau. La PNL accorde de l'intérêt aux « prédicats » (termes et expressions sensorielles) utilisés par nous-mêmes et nos interlocuteurs qui révèlent la sensorialité du langage. Elle est également attentive aux éléments suivants : jugements, règles, suppositions, faits imprécis et généralisations.

Les postulats de la PNL

La PNL est une approche qui se fonde sur un ensemble de postulats. Ces postulats forment une sorte de paradigme, c'est-à-dire un cadre de référence constitué d'affirmations qui permettent de comprendre « l'esprit » de la PNL. Ces « postulats » se présentent comme des hypothèses plutôt que comme des vérités. Bien que ces postulats soient issus des observations des chercheurs et praticiens de la PNL, celle-ci ne souhaite pas « philosopher » à leur égard, à savoir discuter si ces postulats sont « vrais » ou « faux ». La PNL a adopté ces postulats car ils semblent, au regard des observations précisément, constructifs et utiles en termes de communication et de changement.

La carte n'est pas le territoire

C'est un peu le point de départ de la PNL, son fondement. C'est une distinction importante à établir car elle permet de ne pas confondre notre vision des choses avec la réalité elle-même. Notre vision du monde n'est pas le monde lui-même, elle n'est qu'une représentation de celui-ci.

En effet, par exemple, la carte du Canada n'est pas le Canada, elle n'est qu'une représentation de celui-ci. Également, le mot « chat » n'est qu'une étiquette linguistique, la preuve est que ce mot ne miaule pas ! Le mot n'est donc pas la chose nommée, simplement une représentation subjective de celui-ci. De la même façon, au restaurant, vous ne pouvez manger le menu mais seulement ce que contient votre assiette.

Notre « modèle du monde » est donc ainsi constitué de « cartes internes » qui trouvent leurs sources dans nos expériences sensorielles. C'est ce qui explique que deux personnes peuvent avoir des perceptions, des opinions et des croyances différentes par rapport à un même sujet, que celui-ci soit la façon de réaliser tel gâteau au chocolat, un film, le mariage des homosexuels ou l'intervention de l'armée américaine en Irak...

Cette façon de fonctionner fait de la communication un acte parfois difficile, toujours complexe, où il s'agit de faire avec les interprétations présentes. Prendre conscience de nos propres cartes et de leur impact ainsi que de celles d'autrui est un défi et un art.

L'esprit et le corps forment un seul système

L'être humain est un tout, il ne fait qu'un. Corps et esprit fonctionnent et s'interinfluencent. Pour la PNL, l'être humain est un système qui est donc composé d'éléments reliés entre eux par des relations. Elle présente ce « système humain » de la façon suivante : tout événement, toute stimulation, évocation, perception sensorielle génèrent un état interne (sensations et sentiments), noté EI. Reliés à cet état interne, sont activés des processus internes (PI), tels que des critères et valeurs et des croyances.

États internes et processus sont créateurs ensemble d'un comportement externe (CE), c'est-à-dire d'une expression non verbale et/ou verbale observable. Ainsi, tout comportement externe est la résultante d'une activité physioneurologique.

Comme approche systémique, la PNL considère l'individu comme une « boîte noire » habitée de processus intrapsychiques. Par ailleurs, elle est particulièrement centrée sur l'impact de ces processus sur nos comportements et sur nos interrelations.

On ne peut pas ne pas communiquer

Et cela pour une raison simple, c'est que nous ne pouvons pas ne pas avoir de comportement. En effet, « quoi que je fasse ou que je ne fasse pas, quoi que je dise ou que je ne dise pas, je communique quelque chose ». Lorsqu'un enfant se met à « bouder » devant ses parents, il ne s'arrête pas de communiquer pour autant. Il communique bel et bien un métamessage : « Je n'ai plus envie de parler avec vous », par exemple.

Le niveau inconscient de la communication est le plus important

En 1970, le professeur Albert Mehrabian et son équipe de l'université de Pennsylvanie présentent les résultats des recherches qu'ils ont menées à propos de la communication. Leurs conclusions sont édifiantes :

- 93 % de la communication est véhiculée par le comportement non-verbal, dont 55 % par le langage corporel (gestuelle, expressions du visage, postures...) et 38 % par la dimension vocale (ton, volume, intonations, débit de la voix).
- 7 % seulement de la communication passe par les mots.

Cela ne signifie pas que les mots utilisés ne sont pas importants, mais que la portée de ceux-ci dépend largement de notre communication non verbale. Pensez aux humoristes qui atténuent ou amplifient la portée d'un mot ou d'un message en transformant la communication non verbale qui y est habituellement associée.

Notre corps parle donc immensément dans nos interrelations. Prenons l'exemple de l'étonnante « mise en scène » qui se déroule dans les ascenseurs. S'il n'y a qu'une personne dans un ascenseur, elle peut se mettre n'importe où, c'est néanmoins généralement au milieu ou adossée à l'une des parois ; s'il y a deux personnes, les deux personnes vont inconsciemment se placer dans les deux coins du fond ; s'il y a trois personnes, deux resteront dans les coins et l'autre sera au milieu proche de la porte ; s'il y en a quatre, elles se disposeront proches des quatre coins ; s'il y en a cinq, ce sera quatre dans les coins et une au milieu ; s'il y en a six, quatre dans les coins, deux au milieu ; s'il y en a plus de sept, le milieu de l'ascenseur commence à bien se remplir et le but pour l'instant est que les personnes se touchent le moins possible ; s'il y en a huit ou plus et que les contacts physiques deviennent inévitables, se toucher l'extrémité des épaules et se frôler les avant-bras sera toléré. Si les contacts deviennent inévitables à d'autres niveaux, les personnes feront le maximum pour que les mains et les visages ne se touchent pas, et si certains disposent d'un sac ou d'un porte-documents, ils le placeront devant leur sexe telle une feuille de vigne salutaire qui évite tant bien que mal une intimité déjà bien trop grande avec des inconnus dans un espace si confiné. Comme quoi la montée dans un ascenseur constitue une aventure non verbale unique !

Le véritable sens d'un comportement est révélé par les réactions qu'il suscite

Lorsque j'étudiais à l'université, j'avais un professeur si ennuyeux que dès son premier cours magistral, il avait réussi l'exploit d'endormir la moitié de la classe. Le ton de sa voix, la monotonie de son contenu, l'absence d'interactions avec les étudiants avaient, au bout d'une petite heure, fait fuir certains. Ceux qui étaient restés éveillés luttaient pour ne pas sombrer dans les bras de Morphée. Ainsi, il est possible de dire qu'en fait, le véritable message transmis par ce professeur, au-delà de son propre contenu, était : « Dormez. » Ce n'était donc pas tant ce qu'il disait qui était important mais bien plus la façon dont il le mettait en avant et l'impact que cela avait sur l'auditoire.

Cela montre combien il est important de porter de l'attention à l'impact de notre communication sur nos interlocuteurs car ce n'est pas tant mon intention qui compte que le résultat que j'obtiens. C'est cette attention qui nous permettra de mesurer l'impact réel de notre expression sur autrui et ainsi de pouvoir corriger le tir si nécessaire. En conséquence, développer sa flexibilité comportementale devient une priorité pour une personne qui souhaite améliorer sa communication.

Tout comportement est soutenu par une intention positive

Le comportement humain est cohérent. D'ailleurs cette cohérence apparaît lorsqu'on met à jour ou lorsqu'on replace une personne dans le contexte dans lequel elle a appris tel comportement. Ne se demande-t-on pas où certaines personnes ont appris à conduire ?

De plus, même de façon inconsciente, le comportement répond à une intention positive. Lorsqu'un non-fumeur demande à un fumeur : « Pourquoi fumes-tu ? », ce dernier peut lui répondre : « Ça me détend » ou « Ça me permet de gérer mon stress » ou « Ça me permet d'avoir une contenance » ou « Ça me réveille le matin ! ». Ce que fait une personne répond à une motivation plus profonde. C'est donc ce qui lui donne du sens. Et l'être humain est un chercheur et un créateur de sens.

Qu'est-ce qui amène une personne à voler de la nourriture ? Cela peut être : « remplir son ventre affamé » ou « braver l'interdit pour tester son courage » ou bien d'autres choses encore.

Vers l'âge de 2 ans, les enfants se mettent soudainement à dire « non » à leurs parents. « Veux-tu de la compote ? – Non ! » ; « Veux-tu sortir avec maman ? – Non ! » ; « Viens faire un bisou à Mamie ? – Non ! » Il est bien connu que l'« intention positive » de l'enfant à cet âge est de s'affirmer et de tester son environnement pour en connaître les limites. Cette intention positive que l'on peut découvrir en posant la question : « En quoi cela est-il important pour toi ? » révèle la tendance naturelle de l'être à aller vers la satisfaction, le plaisir, l'équilibre, la santé, l'évolution ou le bonheur. Elle révèle également que le comportement de l'être humain est fondamentalement tourné vers l'adaptation.

Même si la façon dont nous avons appris à répondre à nos intentions positives n'est pas toujours satisfaisante pour nous-mêmes et pour les autres, il est important de distinguer le comportement d'une personne, qui peut être tout à fait inapproprié ou immoral, de son identité ou de sa nature profonde. Autrement dit, une personne est plus que ses comportements. Elle ne s'y confine pas et il est limitant de réduire l'identité au comportement. Ainsi, si je fais quelque chose d'idiot, je ne *suis* pas idiot pour autant.

Confondre identité et comportement est limitant parce que cela porte facilement aux jugements, aux stéréotypes et préjugés qui altèrent la relation avec l'autre. Cela ne veut pas dire naturellement qu'aucun comportement n'est répréhensible ou que nous ne sommes pas responsables de nos comportements.

Par ailleurs, si l'objectif est d'aider une personne à changer et évoluer, la découverte de ses motivations positives est déterminante pour aller dans ce sens-là, bien plus que de continuer à la blâmer et à la culpabiliser.

Toute personne possède les ressources pour évoluer, changer et résoudre des difficultés

La capacité d'une personne à changer, à s'adapter de la meilleure façon possible est inscrite en elle. Si elle est insatisfaite de son comportement, elle possède la capacité à le modifier, le transformer. Autrement dit, les êtres humains possèdent les moyens dont ils ont besoin pour affronter l'ensemble des situations qu'ils rencontrent. Lorsqu'une personne vit de l'angoisse, de la culpabilité, du rejet ou de la tristesse, elle est momentanément « coupée » de son « réservoir de ressources » que constitue, comme le mentionnait Milton Erickson, son inconscient.

En effet, celui-ci a engrangé tant d'expériences diversifiées depuis la naissance, qu'il possède en lui des souvenirs, des solutions, des idées qui peuvent lui être utiles aujourd'hui. La notion de « ressources » est donc indissociablement liée à celle d'apprentissage. Si nous n'arrivons pas à « sortir » de nos états internes limitants, c'est que notre accès à nos ressources est momentanément bloqué.

Nos limites sont bien plus souvent dans notre modèle du monde (nos croyances) que dans le monde lui-même. La capacité de changement d'une personne s'appuie donc sur sa capacité à mobiliser ses ressources internes lorsqu'elle en a besoin.

Une personne fait toujours le meilleur choix parmi ceux qu'elle possède

Imaginez une personne qui part sur une barque vers le milieu d'un lac pour le simple plaisir d'admirer le paysage. À un moment donné, elle souhaite tourner sa barque pour faire demi-tour et retourner vers la berge. Malheureusement, les rames sont un peu lourdes et elle manque de technique ! Finalement, après quelques essais infructueux, elle décide de se lever, de pivoter sur elle-même pour s'asseoir dans l'autre sens. Mais en faisant cela, elle fait tanguer la barque... et elle tombe à l'eau ! Admettons que cette personne ne sache pas nager. La barque s'éloigne. D'après vous que lui reste-t-il comme options pour s'en sortir ? J'imagine que vous répondez : « Crier à l'aide », « Faire la planche », « S'agripper à un tronc d'arbre ou à un rocher s'il y en a un ». Ce qui est certain, c'est que cette personne adoptera le meilleur choix qui lui reste alors qu'elle se trouve dans cette situation. Postulons à présent qu'en fait cette personne sache parfaitement nager. Que croyez-vous qu'elle va faire ? Elle va nager bien sûr car c'est évidemment la meilleure option qu'elle a à sa disposition. Elle ne perdra pas son énergie à s'agiter ou à appeler à l'aide, si elle se sait capable de rattraper la barque éloignée ou la berge à la nage. C'est un principe d'adaptation et d'utilisation optimale de son énergie.

Ce postulat fait ainsi directement référence à la fameuse « loi de la variété requise » décrite par Ross Ashby, en 1956. Que dit cette loi systémique ? Eh bien, que « dans un système, c'est toujours l'élément le plus flexible qui finit par orienter et diriger ce système ». L'élément flexible est celui qui possède la variété requise pour répondre à la situation ou aux objectifs, comparé aux éléments qui manquent de variété requise. Il a donc une capacité d'adaptation plus élevée. Il peut donc mieux répondre aux souhaits, aux demandes, aux imprévus ou à l'évolution du contexte.

- Ainsi, une personne dans un groupe, qui parle la langue du pays visité lors d'un voyage à l'étranger, jouera un rôle important pour ce groupe lors des contacts avec la population locale. Les membres du groupe se placeront souvent autour de cette personne lorsqu'elle interagira avec la population autochtone.
- Un véritable leader dans une équipe sportive est celui qui possède et a cultivé des qualités aussi bien techniques, physiques, tactiques que relationnelles avec les autres membres de son équipe. Par son charisme, fruit de l'ensemble de ses qualités, il « oriente et distribue le jeu », il « donne le ton au match ».
- Un enseignant qui possède une variété d'outils pédagogiques sera plus à même d'optimiser la transmission de ses connaissances à une plus grande quantité et variété d'étudiants.

C'est cette variété requise, ou cette « nécessité de la diversité » qui permet de gérer la complexité.

- Le dirigeant d'une entreprise en pleine croissance doit apprendre à faire confiance et à déléguer les responsabilités s'il veut continuer à être en contrôle de son entreprise. En déléguant, il va chercher une expertise plus grande. Cela apporte à son entreprise des connaissances et des compétences que le dirigeant ne peut réunir seul. Ainsi, plus de défis de développement pourront être relevés si plusieurs spécialistes sont utilisés.
- Les premiers « constructeurs d'avions » au début du xxᵉ siècle étaient des petites équipes d'à peine dix personnes pour concevoir et assembler

chaque avion. Chaque personne pouvait avoir une vision à la fois globale et dans les détails de l'appareil. Leur seul talent serait totalement insuffisamment aujourd'hui face au défi de la navette spatiale.

Plus on a de choix, mieux ça vaut

Ce postulat est la conséquence du précédent. Plus une personne possède de choix émotionnels et comportementaux, plus elle pourra agir sur son environnement d'une façon « écologique » pour elle et pour les autres. Ce terme « écologique » est utilisé par la PNL pour désigner l'« équilibre » d'un système et d'une personne. Il fait naturellement référence à la notion d'« écologie » qui se définit comme « la cohérence d'un système dont il s'agit de tenir compte si nous souhaitons interagir avec celui-ci en respectant son intégrité ». Agir en « préservant l'écologie » de notre interlocuteur, d'une organisation ou de soi-même, est difficile si nous ne disposons que d'un seul choix, d'une seule méthode, d'un seul outil.

La flexibilité est donc un des grands défis de la communication. Travailler à élargir son éventail de comportements dans des contextes différents nous permet de gagner en confiance en soi car nous sommes plus aptes alors pour apporter des réponses constructives à ce que nous vivons. Comme l'a souligné Paul Watzlawick : « Si le seul outil dont on dispose est un marteau on aura tendance à prendre le monde pour un clou ! »

Le cadre dans lequel est perçue une situation détermine la signification qu'on lui accorde

Dans un film de Visconti, *Les Damnés* (1969), la première image est celle d'un beau jeune homme blond qui chante avec vigueur et enthousiasme. Il est dans la fleur de l'âge et semble envoûté par son chant. Alors que le jeune homme chante, on est comme absorbé par cette image et on a envie de chanter avec lui. Pendant ce temps, progressivement, le cadre s'élargit et petit à petit on commence à distinguer d'autres personnes, semble-t-il, debout devant leur table autour du jeune homme, qui chantent elles aussi. Quelques minutes après, on finit par distinguer nettement qu'il s'agit d'une réunion nazie ! Ainsi, alors qu'au début le zoom est uniquement sur le visage du jeune homme, on trouve son chant énergique et stimulant. Notre enthousiasme cesse soudain lorsque l'on découvre le véritable contexte de la situation, une fois que le cadre s'est élargi.

Cet exemple montre clairement combien la signification que nous donnons aux événements, à ce que nous voyons ou entendons, dépend du cadre dans lequel on le place.

Il n'y a pas d'échec seulement du feedback

L'« échec » est une notion morale. Il n'est en aucun cas une réalité objective. Ce n'est pas un fait, c'est une perception. Apprendre à considérer l'« échec » comme une information est un pas sensible vers une plus grande maturité. Ce postulat est donc un recadrage : il place le concept « échec » dans un « cadre » différent. Que se passerait-il ainsi si, au lieu de nous morfondre ou de culpabiliser, suite à une situation en se répétant : « Quel imbécile » ou « Je n'y arriverai jamais, je suis trop nul », nous nous disions à la place : « Qu'est-ce que j'apprends de cette situation ? », « Comment puis-je faire pour faire mieux la prochaine fois ? », « Qu'est-ce que je dois changer pour y arriver ? », « Quelle est la différence lorsque j'y arrive ? ». Cela nous éviterait plainte, découragement ou déprime.

Toute situation nous fournit du feedback qui, si nous en tenons compte de façon constructive, nous indique ce qui a marché et ce qui a moins bien marché et comment nous pouvons mieux faire la prochaine fois. C'est ainsi que nous apprenons depuis notre naissance, par essais et erreurs.

Laissons-nous inspirer par Michael Jordan, l'extraordinaire basketteur : « J'ai raté plus de 9 000 paniers au cours de ma carrière. J'ai perdu près de 300 matchs. À 26 reprises, on m'a remis le ballon et j'ai raté le panier alors que j'aurais pu donner la victoire à mon équipe. Ma vie est une succession d'échecs. Voilà pourquoi je connais tant de succès. »

Et, comme le disait Lee Iacocca : « Si vous voulez augmenter votre taux de réussite, commencez par doubler votre taux d'échec. »

Les caractéristiques d'un bon communicateur

La PNL, par ses observations, a mis en relief les secrets des bons communicateurs.

Avoir un objectif

« Il n'y a de vent favorable que pour le navire qui sait où il va » dit un proverbe. Les bons communicateurs ont en tête un objectif. Cela peut être tout simplement un message à transmettre, une intervention de qualité à accomplir ou un projet à réaliser. Quoi qu'il en soit, leur communication est reliée à un but à atteindre.

Par ailleurs, comme nous le verrons dans la partie suivante, un objectif doit répondre à certains critères pour qu'il puisse être réalisé.

Faire preuve d'acuité sensorielle

Ayant un objectif à l'esprit, un bon communicateur en profite pour bien observer. Son acuité sensorielle est développée, en éveil. Cela lui permet d'identifier les réactions de ses interlocuteurs et donc de mesurer son impact sur ces derniers.

Notre cerveau perçoit à chaque instant une immense quantité d'informations que notre esprit conscient sélectionne en fonction de son objectif du moment. En effet, ce dernier ne peut être conscient que de cinq à neuf informations à un instant T. Le reste des informations est capté néanmoins par notre cerveau qui les stocke dans notre mémoire. La mémoire est sensorielle puisqu'elle a pour origine notre système de perception sensorielle. Elle est donc visuelle, auditive, kinesthésique, olfactive et gustative. L'ensemble de ce stock d'informations engrangées depuis des années d'expérience constitue le terreau de notre inconscient. Elles sont à la base de notre intuition. L'intuition peut être considérée comme la résultante de la mobilisation d'informations stockées dans notre inconscient qui agissent comme autant de références internes qui nous aident à bien appréhender et nous positionner lors d'une situation.

Ainsi, lorsque nous sommes animés par un objectif à atteindre, nous mobilisons notre finesse d'observation et notre intuition par la même occasion. Ces éléments sont autant de ressources qui nous permettent alors de prendre les décisions les plus appropriées en fonction du contexte actuel et de notre but.

Être flexible

Poursuivre des objectifs et faire preuve d'acuité sensorielle sont des qualités qui en créent une autre : la flexibilité comportementale. Celle-ci est indispensable pour rester souple face à des situations diverses et parfois imprévues ou nouvelles. « Plus on a de choix mieux ça vaut » comme le souligne un des postulats de la PNL qui s'appuie sur la loi de la variété requise. Comme le dit Génie Laborde : « La possibilité d'avoir des réactions plus efficaces réside dans un plus large éventail de choix[13]. » Pouvoir disposer des comportements les plus constructifs pour cheminer vers nos objectifs personnels et professionnels est source de réussite. Notre flexibilité est déterminante pour bien établir le rapport avec autrui, c'est-à-dire pour créer une relation de confiance.

L'influence des croyances

Comme nous l'avons vu précédemment avec l'auto-réalisation des prophéties, nos croyances structurent notre vision du monde. Elles agissent comme des balises, comme des points de repères qui donnent du sens à ce que nous voyons, entendons et ressentons. Et nous les validons inconsciemment à travers notre discours et nos attitudes.

Notre processus d'évaluation génère des croyances. Celles-ci nous permettent d'attribuer une « vérité » à ce que nous vivons. Sans croyances, nous serions perdus et désorientés. Elles nous permettent de répondre à nos incertitudes qu'elles soient quotidiennes ou existentielles. Ainsi, nous « croyons » des choses à propos :
- de l'environnement (au sens large du terme : les autres, la société, la vie) ;
- de nos comportements et de ceux des autres (« Je trouve qu'il a agi avec discernement ») ;
- de nos capacités (« Je peux réussir cet examen » ou « J'ai de la difficulté à comprendre l'informatique ») ;
- de nos croyances ou de celles des autres (« Je trouve son opinion dangereuse ») ;
- de notre identité ou de celle des autres (« Je suis doué en maths », « Il est très mûr pour son âge »).

13. G. Laborde, « *Influencer avec intégrité* », InterEditions, 1987.

Il est nécessaire par ailleurs de faire une distinction entre les « croyances » et les « faits ». Si une croyance peut également être définie comme « une affirmation personnelle que l'on pense vraie », un fait est quelque chose qui ne peut être remis en cause, contrairement à une croyance.

- En 2000, les Jeux Olympiques se sont déroulés à Sydney en Australie.
- Je suis allé me promener dans le parc hier.
- Le Vietnam est un pays d'Asie du Sud-Est.
- Je m'appelle...
- 1 mètre = 100 centimètres.
- Vous lisez cette phrase.

Les connaissances et comportements vérifiables, observables et mesurables concrètement, sont donc des constats factuels. La PNL s'intéresse au fonctionnement, à la structure et à l'impact des croyances dans nos vies. D'abord parce que le phénomène « croyance » correspond à l'un des « niveaux logiques » de l'expérience humaine, et ensuite parce que les croyances sont des éléments psychologiques incontournables dès qu'il s'agit de changement. En effet, un changement de comportement ou un changement dans un système, tel qu'une entreprise, passe nécessairement par des changements de croyances. Les croyances sont donc au cœur de la dynamique du changement et des résistances au changement. Nos croyances déterminent les comportements, elles peuvent donc être des forces d'inertie ou, au contraire, des leviers de motivation et de transformation.

Robert Dilts est un des chercheurs les plus créatifs et les plus prolifiques dans le monde de la PNL. Lors de recherches approfondies sur l'impact des croyances sur la santé, il a mis à jour de nombreux éléments concernant les types de croyances existants, leur structure et les obstacles qui peuvent empêcher de les identifier clairement. C'est une synthèse de son travail que je vous propose ici.

En premier lieu, il existe différents types de croyances. Robert Dilts les présente comme des généralisations à propos de la réalité que nous pensons « vraies » concernant : les causes, le sens et les limites.

Les croyances concernant les causes

Elles répondent aux questions :
• Pourquoi ?
• Qu'est-ce qui fait que... ?
• D'où est-ce que ça vient ?
• Quelle est l'origine de... ?

Si nos réponses à nos questions ne sont pas des constats factuels, nous exprimons des croyances concernant des causes.

  • *Pourquoi est-ce que je n'arrive pas à faire cette recette ?*
    • *J'ai toujours été nul en cuisine.*
  • *Pourquoi est-ce que tu as si mauvais caractère ?*
    • *Parce que je suis Irlandais !*
    • *Parce que je viens d'une famille dysfonctionnelle.*
  • *Qu'est-ce qui fait que tu as autant besoin de travailler ?*
    • *Parce que le travail c'est la santé.*
  • *D'où est-ce que ça te vient cette passion pour la voile ?*
    • *D'aussi loin que je me souvienne, j'ai toujours été attiré par l'océan.*

Les croyances sur les causes relient donc une cause et son effet. Dans notre esprit, nous avons relié deux éléments entre eux subjectivement. C'est une façon de donner du sens aux évènements et aux comportements. Par ailleurs, ce lien est parfois limitant car il nous empêche de voir autrement les choses et donc de faire autrement. Un lien de cause/effet peut nous décourager à persévérer pour réaliser quelque chose. Ainsi, dans un des exemples précédents, la personne peut ne tenter qu'une seule fois de réaliser cette recette de cuisine, car au premier « échec », cela lui confirme que ce n'est pas la peine de réessayer car, de toute façon, « elle a toujours été nulle en cuisine ».

Les croyances concernant le sens

L'être humain est un être qui ne peut pas ne pas donner du sens à ce qu'il vit. C'est à travers les questions suivantes qu'il en trouve ou en crée :
• Quel est le sens de cet événement ?
• Qu'est-ce que cela signifie ?
• Qu'est-ce qui est important ?

Les jugements de valeur, les interprétations faites à partir d'une situation donnent ainsi un certain sens à nos expériences de vie.

- *Quel est le sens de ma maladie ?*
  - *Que je dois prendre bien mieux soin de moi.*
  - *Que je suis une mauvaise personne.*
  - *Que je suis décidément né sous une mauvaise étoile.*
  - *Que j'ai un conflit intérieur non résolu.*
- *Qu'est-ce que cela signifie pour toi qu'il t'offre ce voyage ?*
  - *Qu'il m'aime.*
  - *On est sur le point de se séparer, alors je pense qu'il veut que notre relation se termine de la meilleure façon possible.*
- *En quoi ce projet est important pour moi ?*
  - *Il me permet de me réaliser professionnellement.*
  - *C'est un défi à relever, et j'aime les défis !*
  - *Je crois qu'en fait, il n'est pas si important !*

Les croyances concernant les limites

Ces croyances portent sur ce que nous sommes et ce que nous ne sommes pas. Sur ce que nous pouvons être, faire ou avoir ou ne pouvons pas être, faire ou avoir. Elles constituent un cadre dans lequel certains comportements, certaines pensées, certaines convictions, certaines capacités sont possibles et d'autres impossibles. Elles sont des réponses aux questions :

- Qui suis-je ?/Qui ne suis-je pas ?
- Qu'est-ce qui est possible ?/impossible ?
- Qu'est-ce qui est efficace/inefficace ?
- Qu'est-ce qui est utile/inutile ?
- Quels sont les avantages/inconvénients à être/faire/avoir cela ?

- *Je suis quelqu'un d'honnête.*
- *Je ne peux pas évoluer dans ce secteur professionnel.*
- *Je peux réussir cet examen.*
- *Il est avantageux de placer de l'argent chaque année.*
- *Il est souvent risqué de dire tout haut ce que tout le monde pense tout bas.*
- *C'est une erreur de ne pas suffisamment se former.*
- *Qu'est-ce qui te serait utile pour que tu puisses avancer dans ce dossier ?*

- *Qu'on me laisse plus de latitude pour agir.*
- *Que je ne sois pas préoccupé par d'autres choses.*
- *Que nous travaillions plus en équipe.*

Bien sûr, nous faisons tout pour être congruent avec nos croyances. Autrement dit, pour agir en cohérence avec ce que nous pensons vrai ou juste. Ainsi, si je pense qu'« il est important d'être persévérant pour réaliser les projets qui nous tiennent à cœur », je n'abandonnerai pas un projet important à mes yeux à la première critique ou à la première difficulté rencontrée et j'inciterai également les personnes autour de moi à persévérer dans la réalisation de leurs rêves.

Les trois pièges qui empêchent d'identifier les croyances

- Le poisson dans les rêves

Robert Dilts raconte[14] de quelle façon un thérapeute voulait faire avouer à son client qu'un poisson hantait ses rêves :
Thérapeute – Pardon, vous n'avez pas rêvé la nuit dernière, hum ?
Client – Je ne sais pas, peut-être... oui.
Thérapeute - Vous n'avez pas rêvé de poisson par hasard ?
Client – Euh, non... non.
Thérapeute - Parlez-moi de votre rêve.
Client – Je marchais dans la rue.
Thérapeute - Y avait-il de l'eau dans le caniveau ?
Client – Eh bien, je ne sais pas.
Thérapeute – Est-ce qu'il aurait pu y en avoir ?
Client – Je pense qu'il aurait pu y en avoir.
Thérapeute – Est-ce qu'il aurait pu y avoir un poisson dans l'eau du caniveau ?
Client – Non... non.
Thérapeute – Mais ça aurait pu. Vous marchiez bien dans la rue, n'est-ce pas ? Il n'y avait pas un restaurant dans cette rue ?
Client – Oui, il aurait pu y avoir un restaurant.
Thérapeute – Est-ce qu'il y avait du poisson au menu ?
Client – Je pense qu'un restaurant peut proposer un poisson au menu.
Thérapeute - Ah, ah, je le savais. Un poisson dans les rêves !

14. R. Dilts, T. Hallbom et S. Smith, *Croyances et santé*, Desclée de Brouwer, 1994.

Le piège ici est que votre interlocuteur projette ses propres croyances, visions des choses et attentes sur vous. Autrement dit, qu'il cherche – la plupart du temps sans s'en apercevoir – à vous « faire entrer » dans son propre « cadre de référence ».

On peut dire ici que l'intention positive de cette attitude est de valider nos propres croyances pour être rassuré sur la pertinence et la valeur de nos connaissances et de notre vision des choses. Par ailleurs, c'est une attitude qui manque grandement de respect envers autrui. Les limites de cette attitude sont qu'elle empêche la découverte des différences qui nous distinguent et ne permet pas l'exercice toujours très riche de l'empathie.

• Le hareng rouge

C'est une explication élaborée, souvent complexe et détaillée, d'un symptôme, d'un problème de comportement ou d'une conviction. L'expression « hareng rouge » traduit une image ou un discours insolites et inattendus. La personne qui utilise ce subterfuge ignore l'origine de son problème... et ne veut pas le savoir. Elle a construit, pour se protéger de ce mal-être (une angoisse par exemple), un raisonnement logique, le plus rationnel possible la plupart du temps, qui lui permet de ne pas aller en profondeur découvrir les racines de cette pensée ou de cet état affectif ou physique douloureux (par exemple qu'au fond d'elle-même, elle pense qu'« elle n'est pas digne d'être aimée »).

Pour un intervenant qui souhaite aider ou travailler avec une personne, une rationalisation excessive est donc un « signal » à relever, car il vient grandement parasiter la relation en l'empêchant d'être authentique.

• L'écran de fumée

Alors que vous aviez une bonne discussion avec votre interlocuteur, celui-ci devient confus, a un blanc, se fige ou passe à un autre sujet. Dans le cadre d'une relation d'aide, c'est fréquemment au moment où l'aidant abordait quelque chose d'important pour son client que celui-ci utilise un des trois mécanismes de protection : il fuit le sujet, il se fige (état de confusion) ou il devient agressif (« De quoi je me mêle », « Ça ne sert à rien de parler de ça ! »). C'est un bon signal pour l'intervenant qui sait qu'il vient de toucher un terrain sensible. Le piège est alors ici d'adopter la même attitude que son interlocuteur, à savoir : fuir le sujet, devenir confus ou l'agresser verbalement en retour.

Enfin, Robert Dilts met en relief trois critères, selon lui, indispensables pour changer :

- Croire qu'il est possible de changer.

  Si « je pense qu'après tout il est possible que j'apprenne l'anglais ou la cuisine » ou que « je peux me sentir encore plus à l'aise à parler en public », alors c'est déjà un pas de fait car l'accès à mes ressources internes est possible.

- Être congruent par rapport à l'objectif désiré.

  Être pleinement motivé par mon objectif est une base de départ essentielle pour un changement. Si « une partie de moi veut maigrir ou arrêter de fumer » et que je sens néanmoins qu'« une autre partie de moi veut continuer à avoir de l'embonpoint ou à fumer », je me mets des « bâtons dans les roues » tout seul ! Pour pouvoir changer, il faudra d'abord que je dépasse ce « conflit interne ». C'est une première étape incontournable avant de pouvoir envisager de profiter pleinement de ma vie sans embonpoint ou sans fumée.

  Cela revient à vouloir vivre en cohérence avec ses valeurs. Comme le disait Gandhi : « Croire profondément en quelque chose et ne pas le vivre, c'est malhonnête. »

  Dominique Bertrand, une animatrice québécoise, alors qu'elle était interviewée dans l'excellente émission québécoise *Entrée des artistes* animée par Marie-Claude Lavallée, expliquait que « le bonheur dépend largement de notre capacité à être, à exprimer ce que nous sommes à l'intérieur. Tant qu'il existe un décalage entre notre perception de nous-mêmes et ce que nous vivons à l'extérieur dans nos relations avec les autres, on ne peut être heureux ».

- Savoir comment faire.

  Avoir une idée de la façon, de la stratégie à adopter pour pouvoir atteindre notre objectif nous place dans une dynamique d'action. Elle nous permet de prendre des initiatives et de susciter du feedback sans lequel nous ne pouvons progresser.

Parfois il est difficile de répondre à ces trois critères tout seul. Être accompagné, dans ces étapes, est souvent déterminant pour pouvoir aller dans le sens désiré.

Nos croyances sur la communication

L'idée que nous nous faisons de la communication influe sur notre façon d'être en relation. En effet, notre comportement est en cohérence avec

notre conception, nos croyances sur l'acte de communiquer. Nous pouvons par exemple avoir à l'esprit l'idée que communiquer, c'est :
• savoir s'adapter à ses interlocuteurs ;
• l'essence même de la vie ;
• savoir être diplomate ;
• faire plaisir ;
• une manipulation constante ;
• une perte de temps et d'énergie ;
• créer et diffuser de l'enthousiasme et de la chaleur humaine ;
• transmettre des informations ;
• se centrer sur l'autre et faire preuve d'empathie ;
• savoir se faire comprendre ;
• parler avec éloquence ;
• faire preuve de leadership ;
• s'exposer aux jugements d'autrui.

Nous possédons ainsi des schémas inconscients à propos de la communication et des relations humaines. Bien entendu, ces conceptions sont déterminées par notre culture, notre éducation et notre histoire de vie. Nos croyances sur la communication déterminent ainsi un style de communication qui possède ses avantages et ses inconvénients. Ces différents schémas sont à la source de la complexité de la communication humaine.

Par exemple, en entreprise, il est souvent stérile de déclarer que « la communication est mauvaise ». La personne qui pense ou déclare ceci est la plupart du temps fixée sur l'idée qu'elle se fait d'une bonne communication. Par exemple, si elle pense qu'« une personne qui communique bien est une personne qui écoute et fait preuve d'empathie » et que cela ne correspond pas à la croyance dominante des autres membres de son service - dont certains pensent que « bien communiquer c'est faire preuve d'autorité » - alors elle a peu de chance d'être satisfaite dans ses relations avec autrui. Pour sortir de l'impasse relationnelle, il sera alors nécessaire de « métacommuniquer », c'est-à-dire de communiquer à propos des croyances différentes en présence. La personne qui fera cela devra posséder des qualités de médiateur et avoir du recul sur la situation. Ce pourra être soit le chef de cette équipe ou soit un coach externe à l'entreprise qui sera neutre.

Comme l'approche systémique l'a montré, la communication est un terrain sur lequel se jouent des enjeux et des stratégies. Lorsque des tensions s'installent dans une relation par incompréhension des motivations d'autrui, il est important d'adopter au plus tôt une attitude de questionnement constructif. Cela permet de découvrir le point de vue réel de l'autre et d'éviter de tomber ainsi dans un jeu de non-dit basé sur des interprétations erronées du comportement d'autrui.

 Le cas Jeanne et Julie

Jeanne et Julie travaillent au département « études de marché » du service « marketing et publicité » d'une grande entreprise. Ce département est composé de 8 personnes à plein temps. Ces 8 personnes fonctionnent en 4 binômes. Jeanne et Julie constituent ainsi un binôme au sein de l'équipe. Elles travaillent ensemble depuis un an, et jusqu'à présent cela se passe bien. Il y a six mois, Mme Gagnon, responsable du service, est venue présenter la nécessité de réaliser une étude de marché pour lancer un nouveau produit. Mme Gagnon, lorsqu'elle a fait sa présentation, s'est adressée indifféremment aux 8 personnes du département. Elle les laisse toujours s'auto-organiser par la suite. Julie s'est positionnée très vite pour que leur binôme mène cette étude. Mme Gagnon n'a pas vu d'opposition à cela et a accepté.

Devant le positionnement inattendu de Julie, qui est une personne de nature plutôt introvertie, Jeanne a été surprise et ne sait que penser de ses intentions. Dès le lendemain, elle l'interpelle de façon un peu sèche : « Tu veux une promotion ou quoi ! » Julie, vexée, lui a répondu : « Pas du tout, je trouve cette étude particulièrement intéressante, j'ai envie de m'en occuper. »

Trois mois plus tard, Mme Gagnon a proposé directement à Julie, en aparté, de mener une autre étude. Elle l'a d'ailleurs félicitée pour son travail sur la précédente étude.

Jeanne se sent profondément affectée par l'attitude de Julie, ainsi que par les félicitations adressées par la responsable uniquement à l'égard de celle-ci, alors qu'elle a réalisé autant de travail pour cette première étude que sa collègue. Leurs relations, depuis plusieurs semaines, se sont réellement détériorées et elles se parlent de moins en moins. Jeanne trouve que Julie est distante avec elle et pense qu'elle est seulement préoccupée à présent par son évolution de carrière. Elle prend même à témoin ses autres collègues, mais ils ne veulent pas vraiment prendre parti étant eux-mêmes engagés dans des relations duelles parfois difficiles.

Julie et Jeanne sont ainsi entrées progressivement dans une relation tendue. Un jour, le conflit, jusque-là latent, éclate. Jeanne dit à Julie qu'elle trouve son attitude incompréhensible et non professionnelle. Julie, décontenancée par ces propos, répond, agacée, qu'elle pense la même chose de Jeanne.

Proposition de solution du conflit
Voici deux stratégies possibles de communication, l'une conduisant à l'impasse et l'autre permettant de désactiver le conflit et de rétablir une relation gagnant/gagnant.

Stratégie qui conduit à une impasse relationnelle et de fonctionnement en commun

Jeanne – Te rends-tu compte à quel point tu es distante ?
Julie – Je ne suis pas distante, je ne suis pas extravertie comme toi, je ne ressens pas le besoin de parler tout le temps. (Le ton monte.)
Jeanne – Tu exagères, tu ne m'adresses pratiquement plus la parole, on ne parle plus d'autres choses que du boulot, et tu insinues que c'est de ma faute !
Julie – C'est toi qui m'agaces. Tu n'as pas d'ambition. Tu considères ton travail comme une routine.
Jeanne – Là, c'est trop. Madame se met en avant auprès de la chef sans me consulter, et je deviens quelqu'un de routinier !

Stratégie de communication qui permet de désactiver le conflit et de pouvoir fonctionner à nouveau ensemble

Jeanne – Julie, je constate, depuis quelque temps, un changement de comportement de ta part et j'en suis affectée.
Julie – De quoi veux-tu parler exactement ?
Jeanne – Je te perçois comme distante. Tu me parles uniquement de travail et je ne comprends pas pourquoi tu es ainsi.
Julie – Je suis contente que tu me parles ainsi. Je ne savais comment aborder la question avec toi. Tu sais combien je suis introvertie, voire timide.
Jeanne – Est-ce que tu ne veux plus travailler avec moi ?
Julie – Non, non, ce n'est pas ça du tout. Quelle idée ! Je trouve simplement qu'on ne donne pas le meilleur de nous-mêmes. Et, jusqu'à la précédente étude, Mme Gagnon ne nous avait pas vraiment remarquées.
Jeanne – Oui, mais elle ne peut pas remarquer tout le monde.
Julie – Si, au contraire, je pense qu'elle apprécie que l'on montre notre capacité à travailler ensemble et à mener efficacement et rapidement des études particulièrement complexes.
Jeanne – Si je comprends bien, tu souhaites que nous mettions plus en avant notre capacité à réaliser un certain type d'étude bien spécifique, sur les produits de luxe en particulier.
Julie – Oui, quand l'occasion se présente. D'autant que tu sais bien que, sur certaines études, un binôme peut être appelé à présenter celles-ci au service

de la direction de la production. Et, à terme, cela nous permettrait de travailler au sein de cette direction, puisqu'ils fonctionnent également en binôme.

Jeanne – Je suis d'accord avec toi, mais je souhaite que tu me parles plus souvent et que tu exprimes ce que tu cogites, plutôt que de tout décider toute seule dans ton coin.

Julie – Oui, tu as raison, je m'excuse de mon comportement ces derniers temps, mais je pensais que ça ne t'intéressait pas.

Jeanne – Comment le savais-tu ? Si tu ne me le demandes pas, tu ne peux pas le savoir. La personne avec qui je travaillais avant n'avait pas beaucoup d'ambition.

Julie – En tout cas, j'apprécie de travailler avec toi à condition que tu me parles de tes idées et que je puisse te parler des miennes, et que tu ne me prennes pas pour ton ancienne collègue. (Sur le ton de l'humour.)

Cet échange s'est réalisé dans un esprit de clarification et d'écoute, sans agressivité. Les mauvaises interprétations sont démasquées et un esprit de réconciliation peut s'installer progressivement. Il suppose de la maturité, ingrédient majeur d'une meilleure communication.

LES POINTS CLÉS

- La pratique de Carl Rogers révèle que l'important n'est pas ce qui est émis ou reçu mais ce qui est compris par notre interlocuteur. Il met en relief l'impact positif de l'authenticité, de la bienveillance et de l'empathie manifestée envers celui-ci.

- L'approche systémique constitue une révolution dans la perception du phénomène de la communication humaine.

- Un système est « un ensemble d'éléments reliés entre eux par des interactions constantes et pleines de sens dirigées vers des objectifs plus ou moins bien définis ».

- Pour l'École de Palo Alto, la communication est un tout intégré. Elle se manifeste à travers des comportements. Et comme on ne peut pas ne pas avoir de comportement, on ne peut pas ne pas communiquer en conséquence.

- En communication, le « contexte » n'est pas un simple décor. C'est un cadre symbolique qui est porteur de normes, de règles, et de rituels d'interaction. Il influence sur le rapport qui relie les interlocuteurs. Il doit donc être compris au sens large. Il réfère à l'âge, au sexe, au statut social, aux normes et règles, au rapport des individus entre eux, aux rituels d'interaction.

- La congruence se définit comme l'accord entre notre expression verbale et celle non verbale. Cela signifie que notre communication est congruente lorsque nos expressions verbale et non verbale sont en phase l'une avec l'autre. Le décalage entre les deux est donc la preuve d'un manque de congruence.

- Métacommuniquer, c'est communiquer à propos de la communication. Cela revient à faire une pause dans un échange pour communiquer à propos de son contenu, de son évolution, de ses qualités, de ses obstacles ou de ses manques.

- Tous nos échanges de communication sont soit symétriques, soit complémentaires, selon qu'ils sont axés sur la ressemblance ou sur la différence.

- La communication paradoxale est un outil efficace pour dépasser des situations relationnelles tendues ou bloquées.

- Il existe différents niveaux d'apprentissage : le niveau 1 consiste à « apprendre », le niveau 2 à « adapter nos apprentissages à différents contextes » et le niveau 3 peut être défini comme « apprendre à évoluer ».

- Il existe également deux types de changement : le changement de niveau 1 qui se déroule au sein d'un système, et le changement de niveau 2 qui modifie les fondements et la structure du système lui-même. Le changement de niveau 1 a pour but de préserver l'équilibre du système alors que le changement de niveau 2 permet une nouvelle évolution et un changement de paradigme.

- S'opposer aux résistances les amplifie. Autrement dit, ce à quoi on résiste persiste.

- « Recadrer » consiste à permettre à notre interlocuteur d'envisager les choses sous un autre angle. Cette mise en perspective « élargit le cadre » de celui-ci et lui donne ainsi plus d'options, ce qui est particulièrement utile lorsqu'il s'agit de prendre une décision, c'est-à-dire de faire un choix.

- La PNL est une approche qui s'interroge sur la façon dont les êtres humains apprennent, intègrent leurs expériences, communiquent, s'influencent mutuellement et changent. Elle est centrée sur la subjectivité de l'expérience humaine et plus précisément sur ce qu'elle nomme l'« excellence ».

« Un jeune garçon demande un jour à son père :
"Est-ce que les pères en savent toujours plus que leurs fils ?
– Oui, répondit le père.
– Hmm, Papa, qui a inventé la machine à vapeur ?
– C'est James Watt, répondit fièrement le père.
– ... Et pourquoi ce n'est pas le père de James Watt
qui l'a inventée ?[15] *"»*

TROISIÈME PARTIE

COMMENT OPTIMISER NOTRE COMMUNICATION ?

15. G. Bateson, *Vers une écologie de l'esprit*, Seuil (Points), 1995.

« La perfection des moyens et la confusion des objectifs semblent être une des caractéristiques de notre époque. »

A. EINSTEIN

Chapitre 1
Clarifier les objectifs

Dans le chapitre précédent, nous avons montré qu'un bon communicateur est quelqu'un qui a un objectif. En plus d'être source de motivation, les objectifs conscients que nous nous fixons, et nos tentatives pour les réaliser, augmentent notre expérience de la vie. Ils contribuent ainsi à développer notre confiance en nos capacités d'action et de réalisation, notre estime de nous-mêmes, notre maturité si nous avons « appris à apprendre » de nos erreurs et notre sens des responsabilités. Ils développent également notre flexibilité nous permettant de savoir comment établir des relations gagnant/gagnant fondées sur un esprit de coopération plus que de compétition.

Par ailleurs, en nous fixant des objectifs, nous transmettons inconsciemment des informations à notre cerveau, sous forme de représentations sensorielles, qui « donnent une direction » à celui-ci. Et plus ces informations sont précises, plus nous aidons notre cerveau à mobiliser nos ressources et à agir comme un catalyseur de changement. Quoi de plus agréable et enrichissant que de sentir que nous cheminons vers nos objectifs. Quoi de plus satisfaisant que d'atteindre un objectif, de mener à bien un projet individuel ou collectif ?

Les personnes qui ne se fixent pas d'objectifs tournent en rond, se plaignent souvent et dépriment. Elles manquent d'énergie et d'enthousiasme. Comme l'a dit Ralph Waldo Emerson : « Rien de grand ne s'est jamais réalisé sans enthousiasme. »

Bien communiquer c'est donc aussi savoir se fixer des objectifs et aider les autres à définir les leurs.

 Il était une fois une course... de grenouilles.
L'objectif était d'arriver en haut d'une grande tour.
Beaucoup de gens se rassemblèrent pour les voir et les soutenir. La course commença.

En fait, les gens ne croyaient pas possible que les grenouilles atteignent la cime et toutes les phrases que l'on entendit furent de ce genre : « Inutile ! ! ! Elles n'y arriveront jamais ! »
Les grenouilles commencèrent peu à peu à se décourager, sauf une qui continua de grimper et les gens continuaient : « ... Vraiment pas la peine ! ! ! Elles n'y arriveront jamais !... »
Et les grenouilles s'avouèrent vaincues, sauf une qui continuait envers et contre tout...
À la fin, toutes abandonnèrent, sauf cette grenouille qui, seule et au prix d'un énorme effort, rejoignit la cime.
Les autres, stupéfaites, voulurent savoir comment elle avait fait.
L'une d'entre elles s'approcha pour lui demander comment elle avait fait pour terminer l'épreuve.
Et découvrit qu'elle... était sourde !

 ## Le cadre-objectif

Un modèle de clarification des objectifs, issu de la PNL, le cadre-objectif, permet d'identifier l'ensemble des éléments dynamiques à considérer pour se donner les moyens d'atteindre ses buts. La PNL est une approche qui accorde effectivement une importance toute particulière au travail rigoureux de définition des objectifs.
Ce modèle s'appuie sur la clarification de l'« État Présent » et de l'« État Désiré ».

Ce travail peut être réalisé seul. Dans un premier temps, il est préférable néanmoins de le réaliser à deux pour intégrer la méthode, à condition de bien différencier les rôles. L'une des personnes pose les questions dans l'ordre sans émettre d'avis et de jugements et aide son interlocuteur à approfondir ce qu'il évoque. L'autre personne répond aux questions en gardant à l'esprit ce qu'elle souhaite.

Avant de présenter les questions clés, il est important de saisir deux éléments essentiels :

La distinction entre « cadre-problème » et « cadre-ojectif »

La PNL distingue clairement le cadre-problème du cadre-objectif.

Le cadre-problème s'articule autour des questions suivantes :
– Quel est le problème ?
– Qui en est responsable ?
– Comment en est-on arrivé là ?

Ces questions ne font généralement qu'apporter peu d'éléments constructifs à la personne qui y répond. Et cela, pour une raison simple : elles ne sont centrées que sur le problème. Elles ne font alors que faire « mariner » encore plus la personne dans ses problèmes, ce qui a pour effet de les amplifier et d'y voir encore moins clair. C'est comme si on demandait à notre interlocuteur de parler à nouveau de ce qu'il ne connaît que trop bien : ses problèmes, plutôt que de l'aider à définir une direction, une orientation, un cap à tenir. En effet, la plupart des gens ont « fait le tour de leur problème », elles y ont réfléchi maintes et maintes fois, elles l'ont analysé en tous sens et elles ont « coupé les cheveux en quatre » ! Et cela ne les a pas nécessairement aidé à trouver des solutions efficaces. Le véritable travail d'un intervenant est d'aider une personne à se centrer sur ce qu'elle veut et comment elle peut faire pour l'atteindre plus que de l'aider à « résoudre des problèmes ». La meilleure façon de résoudre des problèmes, c'est de les laisser « se dissoudre » au fur et à mesure de la réalisation des objectifs.

Que penser des questionnements de ce type : « S'il y a du sous-emploi c'est à cause des relocalisations en Chine ! », « Si on ne se parle plus c'est à cause d'Internet ! » ou « Si ça ne fonctionne pas ici, c'est à cause de la direction ! ». À chercher la cause des choses ou les responsables présumés de tel ou tel phénomène, on ne fait que créer de la résistance de la part des personnes visées et jugées. De plus, on simplifie le problème à l'excès, et on se dégage également de notre responsabilité par rapport à ce qui se passe en accusant les autres (par exemple au sein du service d'une entreprise auquel on appartient. Dans ce cas on influence en effet nécessairement le système puisqu'on y est inclus. Le critiquer n'améliorera pas les choses). C'est une attitude qui révèle plus une incapacité à s'adapter au changement et d'en voir les aspects positifs plutôt qu'une volonté constructive.

Au contraire, le cadre-objectif s'articule autour des questions suivantes :
– Quel est votre objectif par rapport à cette situation ?
– De quelles ressources avez-vous besoin pour l'atteindre ?
– Par quoi commencer maintenant ?
Ces questions orientent la réflexion de la personne à laquelle vous les posez de façon complètement différente. Elles clarifient ses pensées, canalisent son énergie et touchent à ses motivations réelles pour l'amener à agir.

Les critères d'un bon objectif

Le fruit des observations des chercheurs en PNL permet de mettre en avant une série de critères qu'il est utile de considérer lors de la clarification d'un objectif ainsi que d'en tenir compte dans l'action.

Ainsi un objectif doit être :
• Formulé positivement
  – Si une personne a comme objectif : « Je ne veux plus fumer » ou « Je ne veux plus être stressé par mon travail » ou « Je ne veux plus avoir peur de parler en public », elle ne part pas sur de très bonnes bases car elle a l'esprit ce qu'elle ne veut plus. Concrètement, cette formulation négative ne peut que créer une représentation sensorielle opposée à ce que désire réellement la personne. En effet, souvenez-vous, la négation existe dans le langage mais pas pour le cerveau. Dans les exemples ci-dessus, la personne aura ainsi inévitablement de la « fumée dans la tête », « se verra stressé », « se verra avoir peur et ressentira sa peur de parler en public ». C'est comme si la personne n'adoptait pas le bon programme pour se donner les chances d'atteindre son objectif. Elle pense à son problème plutôt qu'à son désir réel. Elle envoie à son cerveau l'information contraire à son souhait. Ainsi, il est plus constructif de se demander : « Qu'est-ce que je veux ? » plutôt que « Qu'est-ce que je ne veux plus ? ».

- Spécifique : précis, concret, échéancé et contextualisé
  - Pourquoi est-ce que bien souvent nous ne réussissons pas à atteindre nos objectifs : parce qu'ils sont flous ! Avoir comme objectif : « Je veux parler l'anglais » est un souhait, un désir, un rêve ou un idéal, mais ce n'est pas un objectif. Un objectif vague nous laisse dans le brouillard et ne canalise pas suffisamment notre énergie. L'objectif pourrait être formulé ainsi : « Je veux parler l'anglais des affaires correctement d'ici à deux ans pour élargir ma clientèle dans le domaine des services de formation en photographie numérique. »
  - Retenez ainsi que : « Tout objectif flou aboutit à une connerie précise. »

- Réaliste
  - Un objectif réaliste est atteignable. « Je veux aller sur Mars » est un fantasme si vous n'êtes pas déjà un astronaute confirmé et engagé dans un programme qui permettrait d'amener des humains sur cette planète. « Je veux plonger en apnée à 100 m de profondeur » est également irréaliste si vous avez déjà plus de 40 ans et que votre capacité pulmonaire est normale et non exceptionnelle, sans parler d'une condition physique de haut niveau.
  - Par ailleurs, un objectif réaliste est un objectif dont la réalisation dépend de vous et non des autres. C'est un objectif sur lequel vous avez un contrôle. Vous tenez les rênes de votre objectif et non quelqu'un d'autre. Si ce n'est pas le cas, vous arriverez certainement quelque part, mais ce ne sera pas là où vous vouliez aller ! « Je veux qu'il fasse beau cette semaine » est un beau souhait et s'il se réalisait cela vous satisferait ou vous aiderait, mais votre pouvoir sur cette réalisation est bien faible ! Plus concrètement, si l'objectif est : « Je veux que mon assistante soit plus efficace dans ses contacts avec les clients », celui-ci est irréaliste. Il ne dépend pas de vous mais d'elle. Commencez par vérifier avec elle si elle se considère comme efficace, puis posez-vous la question suivante : « Qu'est-ce que je pourrai faire moi pour lui permettre de progresser dans ce sens ? »

- Écologique
  - Ce terme réfère à la cohérence interne de la personne qui poursuit un objectif (écologie interne) ainsi qu'à la cohérence du système dans lequel elle s'insère (écologie externe), tels que le service dans lequel elle travaille, un club sportif ou sa famille.

« Cohérence » signifie ce qui constitue l'équilibre actuel de la personne ou du système : objectifs, vision (motivation profonde), croyances et valeurs, ressources exploitées et non exploitées, stratégies opérationnelles, comportements, environnement actuel.

– Correspond aux critères de la personne :

En premier lieu un objectif est dit « écologique » s'il tient compte des critères de la personne et du système impliqué. Les « critères » correspondent à ce qui est important aux yeux de la personne et du système. Ainsi, les « valeurs » sont des critères que nous considérons comme essentiels et incontournables. Par exemple, la liberté, l'autonomie, la justice, la solidarité, l'harmonie, la performance, la rentabilité, la santé, le confort, l'esthétisme... sont des critères. Avez-vous remarqué que lorsque vous achetez une voiture, vous n'achetez pas réellement une voiture, mais des critères : peut-être est-ce le confort ou la puissance ou l'économie... ? Pour découvrir les critères sous-jacents à un objectif, il suffit de prendre le temps de répondre à la question suivante : « Qu'est-ce qui est important pour moi/pour l'organisation ? » C'est là notre motivation profonde, notre but (l'objectif de l'objectif). C'est un levier de motivation et donc de changement important. C'est en fait pour vivre tel(s) critère(s) que nous poursuivons un objectif.

D'où l'importance de pouvoir s'approprier un objectif lorsque celui-ci vient de l'extérieur. Il faut pouvoir le relier à des motivations réelles à l'intérieur de soi. Dans le cas contraire, nous manquerons d'énergie, d'enthousiasme et donc d'initiative et de réactivité. Poursuivre trop d'objectifs qui ne sont pas en accord avec nos valeurs personnelles devrait nous faire poser la question : « Est-ce que c'est vraiment ce que je souhaite ? » ou « Suis-je à la bonne place ? » et d'en tirer les conséquences. Bien sûr, on peut faire des compromis et aussi découvrir et intégrer de nouvelles valeurs. Par ailleurs pour se sentir bien dans ce que nous faisons, cette adéquation entre nos critères et nos objectifs est incontournable. Parfois, il faut donc avoir le courage de faire le deuil d'une situation trop insatisfaisante pour pouvoir aller vers de nouvelles plus nourrissantes et épanouissantes sur le plan personnel et/ou professionnel.

Dans les organisations, les managers, dont un des rôles est de livrer des objectifs à leurs équipes, devraient être particulièrement conscients de cette notion d'« écologie » pour vérifier que ces objectifs ont du sens par rapport aux critères non seulement de l'organisation bien sûr, mais aussi des personnes impliquées dans la réalisation de ces objectifs. Il veut mieux anticiper les résistances au changement que d'avoir à les traiter une fois actives n'est-ce pas ! Par ailleurs, ce n'est pas parce qu'une personne résiste à un objectif que celui-ci n'est pas bon. Comme mentionné ci-dessus, cela peut venir de la personne et de son système de valeurs. Il est important alors d'en parler avec elle pour éviter des pertes de temps importantes, liées à ses résistances et à son manque d'efficacité, par la suite. Ce temps d'explication du sens de l'objectif actuel, relié au but commun de l'ensemble des membres d'une équipe, peut être salutaire car il permet à la personne de bien le comprendre et d'y voir son intérêt. Il se peut aussi que l'objectif mérite d'être ajusté s'il veut susciter l'adhésion. Sans adhésion, pas de motivation et sans motivation, peu d'efficacité.

– Tient compte de la cohérence externe et interne :
Imaginez que votre souhait soit d'acheter la nouvelle Ferrari. Considérons que votre « État Présent » soit le suivant : Vous gagnez 5 000 euros par mois, vous êtes endettés à plusieurs niveaux, vous allez à pied à votre travail et votre femme ne souhaite pas du tout que vous achetiez la nouvelle Ferrari. Posez-vous alors la question : « Y aurait-il des inconvénients à atteindre cet objectif ? » Vue la situation actuelle, la réponse est de toute évidence « oui ». Le réaliser mettrait en péril votre situation financière et créerait des tensions dans le couple. Par ailleurs, cela ne signifie pas que vous devez abandonner cet objectif. Après tout, s'il correspond à vos critères, s'il est important à vos yeux, vous y avez le droit. Il s'agit simplement de commencer à se fixer des étapes. Par exemple, de commencer par trouver les moyens d'améliorer votre situation financière, et également de commencer à discuter avec votre conjointe sur l'importance de cette acquisition pour vous. En un mot de rendre accessible ce projet. La persévérance, la patience et la capacité à négocier et à convaincre sont absolument nécessaires pour réaliser certains objectifs.
Tenir compte de la cohérence interne est tout aussi important. Si une personne désire partir en voyage et qu'elle est allergique à l'iode, il n'est pas écologique de l'envoyer au bord de la mer.
Si une personne dit qu'elle veut arrêter de fumer, vous pouvez lui poser la question : « Y aurait-il un inconvénient pour toi à ne plus fumer ? » La personne, après réflexion, peut vous répondre : « Oui, si j'arrête complètement de fumer, je vais être encore plus stressée ! » Elle vient de vous livrer son écologie. Fumer à une fonction positive pour elle : se déstresser. C'est ce que la PNL appelle un « bénéfice secondaire ».

Elle craint alors que « de ne plus fumer » lui apporte un problème supplémentaire. En effet, bien que la situation actuelle (« Fumer ») ne soit pas pleinement satisfaisante pour elle, c'est comme si une « partie » d'elle y trouvait un « avantage »/une « solution » (la partie d'elle qui a besoin de « déstresser »), et c'est pour l'instant la meilleure option qu'elle connaît pour atteindre cela.

Plusieurs questions s'offrent alors à vous pour aller de l'avant avec cette personne : « Si tu envisageais d'autres façons efficaces de te déstresser autre que "fumer", cela pourrait être lesquelles ? » ou « Est-ce que cet objectif (et ce qu'il apporte : une meilleure santé) est suffisamment important pour toi pour que tu acceptes d'être parfois plus stressée et d'affronter cela ? » ou « De quoi as-tu besoin pour pouvoir affronter le stress lié à l'absence de cigarettes ? ».

Soit la personne est prête à assumer la conséquence de perdre son bénéfice secondaire, et elle peut mobiliser ses ressources pour affronter son stress, soit elle n'est pas prête à le perdre et il est préférable qu'elle renonce pour l'instant à son objectif car sa volonté ne suffira pas, son bénéfice secondaire sera bien plus fort.

Cela se manifeste lorsque l'on a la sensation que plus on fait d'efforts, moins ça marche ! C'est ce qui explique des expressions comme : « C'est plus fort que moi », « Je ne peux rien y faire », « Je ne sens démuni(e) ». Dans un travail de clarification d'objectifs en vue d'un changement, il s'agit de respecter la cohérence psychologique de la personne et de laisser cheminer en elle les questions posées. Ce sont comme des graines que vous auriez semées et qui finiront par germer. C'est ce qui explique que parfois une personne change un comportement ou réalise quelque chose de façon soudaine et inattendue. La possibilité du changement a fait tout simplement son chemin dans son inconscient et s'est manifestée lorsqu'il était mûr.

Évaluer les conséquences internes et externes de nos objectifs permet ainsi de « peser le pour et le contre », d'anticiper les résistances, et d'ajuster notre objectif pour le rendre réaliste.

– Vérifier l'« écologie » amène ainsi à penser à l'impact sur nous-mêmes et sur notre environnement si l'objectif est réalisé. Quelles en seront les conséquences ? Il est préférable qu'ils aient plus d'avantages que d'inconvénients. Dans le cas contraire, cet objectif atteint déclenchera de nouvelles ou d'anciennes résistances qui pourront « saboter » tout le travail accompli. Prendre le temps de redéfinir l'objectif, de la clarifier plus précisément, d'en mesurer plus finement les impacts sera parfois fort utile. « Vérifier l'écologie », c'est perdre du temps (et de l'argent parfois) pour en gagner ! Les êtres humains résistent au changement si leur écologie n'est pas considérée. Son énergie sera alors orientée vers le maintien de la situation présente plutôt que vers la réalisation de l'objectif envisagé ou imposé.

* Vérifiable
Atteindre un objectif est un parcours. Prendre le temps de se poser des questions constructives tout au long de ce parcours c'est faire preuve de maturité. Reprenons l'objectif ci-dessus : « Permettre à mon assistante de devenir plus efficace dans ses contacts avec les clients. » Pour que cet objectif devienne vérifiable, il faut que vous vous posiez la question suivante : « Qu'est-ce que j'aimerai voir et entendre chez mon assistante qui m'indiquerait qu'elle progresse ? » Prenez le temps de le définir avec elle. C'est peut-être d'être plus à l'écoute, de poser plus de questions plutôt que de donner des conseils, de noter les souhaits ou exigences des clients... Soutenez-la dans ses progrès à ces niveaux en la félicitant lorsqu'elle le fait. Voyez avec elle ce dont elle a besoin (ressources internes et externes) pour le faire plus souvent ? Un objectif vérifiable devient vivant. Il permet de passer à l'action et de tenir compte du feedback provoqué par nos tentatives de progression. Cela permet de « donner du corps » à l'objectif, de (se) fixer des étapes et d'avancer pas à pas. Un proverbe anglais nous dit : « Les gens en mal de planification planifient leurs échecs. » Tout est dit !

Clarifier l'État Présent

> « Vous ne pouvez déterminer la direction à prendre tant que vous ignorez où vous êtes. »
> ANONYME

Le premier ensemble de questions concerne la clarification de ce qui est appelé l'État Présent.

L'État Présent d'une personne correspond à la situation dans laquelle celle-ci se trouve au moment où elle se fixe un objectif.

Il s'agit donc de mettre à jour les obstacles éventuels à la réalisation de l'objectif grâce à quelques questions simples mais précises.

Il est important de respecter l'ordre des questions.

- Questions pour clarifier l'État Présent
  - Que voulez-vous ?/Quel est votre objectif ?
  - Quelle est la situation actuelle ?
  - Quels sont les problèmes ?
  - En quoi ce sont des problèmes ?
  - Qu'est-ce qui vous empêche de résoudre le problème/de changer/de choisir/de faire autrement ?
  - Quels avantages retirez-vous de la situation actuelle ? (bénéfices secondaires)
  - Quels bénéfices actuels êtes-vous prêt à perdre pour atteindre votre objectif ?
  - Quels sont ceux que vous n'êtes pas prêt à perdre ?
  - Que se passera-t-il si vous ne réalisez pas votre objectif ?
  - Quel est le pire scénario ?
  - Que se passera-t-il si vous réalisez votre objectif ?

Clarifier l'État Désiré

> « La définition d'objectifs est une libération pour la personne :
> elle permet de relier des aspirations à la réalité et d'agir en
> connaissance de cause. »
> F. KOURILSKY-BÉLIARD

Une fois l'État Présent clarifié, il est possible de se centrer spécifique-ment sur l'État Désiré grâce à un deuxième groupe de questions pour le transformer en véritable objectif.

L'État Désiré est ce que souhaite faire, réaliser, changer, devenir une personne. Le but de ce travail est de transformer ce souhait en objectif. Une fois ce travail complet réalisé, notre État Désiré initial est devenu un véritable objectif qui respecte naturellement les critères de réalisation.

- Questions pour transformer l'État Désiré en Objectif

> « Demain est un projet à réaliser et non une fatalité à subir. »
> ALBERT JACQUARD

  - Quel est votre objectif ?
  - Y a-t-il un inconvénient à ce que vous atteigniez cet objectif ? (« Ques-tion d'écologie »)
  - Qu'est-ce que cet objectif vous apportera ?
  - Dans combien de temps aurez-vous atteint cet objectif ?

– De quelles ressources avez-vous besoin pour atteindre votre objectif ? Une ressource est un élément qui permet d'atteindre un objectif car il constitue un point de référence. Une ressource c'est un peu à la fois comme un socle sur lequel on peut s'appuyer solidement et un tremplin qui nous permet d'aller plus loin. Une ressource peut prendre différentes formes.

Exemples :
* Un état interne, comme la confiance en soi ou la créativité.
* Une croyance, comme : « la persévérance alliée à la capacité à lâcher prise est une formule gagnante », ou « je crois qu'il n'y a pas d'échec, seulement du feedback ».
* Une habileté : un joueur de tennis de haut niveau a développé une excellente coordination de ses mouvements. Un charpentier a acquis une grande maîtrise de ses outils. Un thérapeute a développé une grande capacité d'écoute.
* Un souvenir spécifique : « Rien que de penser à mes vacances en Polynésie et je me sens léger et détendu. »
* Une relation avec un ami, un professeur, votre conjoint(e)... qui vous nourrit particulièrement.
* Un mot, une phrase : « C'est extraordinaire comme cela m'a apaisé lorsque tu m'as dit que tu ne m'en voulais pas. »
* Un moyen technique, matériel ou financier : naturellement les ressources sont aussi des éléments externes présents dans notre environnement.
* La métaphore suivante montre que nos ressources ne demandent qu'à être utilisées : Nasrudin entra dans une boutique où l'on vendait un peu de tout. « As-tu des clous ? demanda-t-il au marchand. – Oui. – Et du cuir, du bon cuir ? – Oui. – Et de la ficelle ? – Oui. - Et de la teinture ? – Oui. – Alors, pourquoi diable ne te fabriques-tu pas une paire de bottes[1] ? ! »

– Qu'avez-vous besoin de voir, d'entendre, de ressentir pour savoir que vous vous dirigez bien vers votre objectif ?
– Quelles sont les étapes nécessaires pour atteindre votre objectif ?
– Par quoi commencer maintenant ?

---

1. I. Shah, « Les plaisanteries de l'incroyable Mulla Nasrudin », *Le courrier du livre*, 2005.

– C'est le « plan d'action » : ce qui est à réaliser concrètement à court terme : aujourd'hui, demain, cette semaine, la semaine prochaine, ce mois-ci.

De l'État Présent à l'objectif

L'alignement des niveaux logiques

« L'alignement des niveaux logiques » est à la fois un modèle et un outil qui décrit comment on peut aborder le changement et là où se trouvent les difficultés qui peuvent empêcher l'atteinte des objectifs.

Il est inspiré des travaux de Gregory Bateson et a été repris par Robert Dilts.

Cet outil articule les niveaux : de l'environnement, des comportements, des capacités, des croyances, de l'identité et de la spiritualité. Ce sont des niveaux reliés les uns aux autres et qui s'interinfluencent constamment. Ces niveaux sont appelés « logiques » car ils sont naturellement hiérarchisés. Ils concernent directement nos processus d'apprentissage, de changement et de communication.

L'exercice « d'alignement des niveaux logiques » a pour but de développer notre motivation par rapport à un objectif ou une aspiration. Cet alignement crée un lien cohérent entre les différents niveaux de notre expérience. Cela permet de clarifier ce qui est réellement bon pour nous et ainsi de renforcer notre confiance, notre congruence et donc notre engagement envers un projet qui nous tient à cœur. Il permet de dépasser nos propres contradictions internes. C'est un outil de coaching exceptionnel pour soi-même et pour les autres.

Je présente donc ici cet outil en lien avec la démarche de coaching. Cela est pertinent dans le sens où le coaching est une approche visant à optimiser le potentiel d'une personne ou d'un groupe par une démarche constructive de questionnement et d'interventions dont l'objectif est précisément la « réorganisation » des niveaux logiques de la personne ou du groupe coaché.

Présentation des différents niveaux logiques sous l'angle du coaching

• Le niveau de l'Environnement

L'environnement c'est, par exemple, le contexte au sein duquel les membres d'une organisation (entreprise, association...) interagissent, c'est-à-dire Où et Quand se passent les opérations et les relations au sein de l'organisation. L'environnement d'une organisation est ainsi composé du lieu géographique des activités, des immeubles et installations qui définissent le lieu de travail, la configuration des bureaux ou de l'usine, du matériel, de la décoration...

Le coaching est une démarche qui accorde de l'importance à créer un environnement agréable et convivial pour permettre au coaché de se sentir à l'aise et en sécurité (respect de la confidentialité). Une séance de coaching ne peut donc pas se passer n'importe où ; le choix du lieu est de première importance.

Les questions suivantes à poser au coaché concernant concernent ce niveau peuvent être les suivantes :

– Quels sont les éléments de l'environnement physique entourant la situation actuelle/le problème/l'objectif ?
– Quels sont les éléments présents dans le contexte qui vous influencent actuellement ?
– Y a-t-il des contraintes financières, matérielles, environnementales ou autres quant aux solutions ou changements potentiels ?

• Le niveau des Comportements

Les comportements sont nos actions spécifiques pour mener au mieux notre travail. C'est ce que nous faisons concrètement, ce qui inclue la façon dont nous communiquons verbalement et non verbalement au sein de notre environnement. Ce sont aussi nos habitudes, nos routines. C'est le niveau du Quoi.

Un coach efficace demande à son client de lui décrire ses comportements dans un contexte spécifique pour pouvoir définir quels sont ceux qu'il souhaite préserver et amplifier et quels sont ceux qu'il souhaite modifier.

Les questions suivantes aident à clarifier ce qui se passe à ce niveau :

– Comment agissez-vous dans la situation actuelle ?
– Que faites-vous actuellement pour avancer vers votre objectif ?
– Que dîtes-vous aux autres ? Que ne dîtes-vous pas ?
– Qu'est-ce qui a été fait jusqu'à présent par les membres de votre équipe pour aller de l'avant/résoudre ce problème ?

– Qu'est-ce qui a été évité ?

• Le niveau des Capacités

À ce premier niveau, non visible par une personne extérieure, on retrouve les capacités mobilisées par le client pour tenter d'atteindre ses objectifs, c'est-à-dire les stratégies choisies (par exemple décider de faire les choses dans un certain ordre plutôt qu'un autre), et également les ressources mobilisées pour pouvoir agir d'une certaine façon telle que le sentiment de compétence, l'enthousiasme, la créativité, la concentration, le calme, l'énergie, la disponibilité, l'écoute, la détermination ou la capacité à dire non. C'est le niveau du Comment.

Le coaching est le processus grâce auquel le coach aide son client, grâce à différents exercices, à reprendre confiance en ses ressources, ses qualités, ses talents, de façon à rétablir ou à consolider la confiance en soi et l'estime de soi.

Les questions suivantes concernent ce niveau :

– Comment vous sentez-vous par rapport à la situation/au problème tel qu'il est posé/à l'objectif tel qu'il est défini ?
– Quelles sont les ressources internes que vous mobilisez dans cette situation/pour atteindre cet objectif ?
– Que vous dîtes-vous ?
– De quelles autres ressources auriez-vous besoin pour être plus efficace/avoir plus de leadership/être plus confiant ?

• Le niveau des Croyances et des Valeurs

L'accès à nos capacités est déterminé par nos croyances et nos valeurs. En effet, lorsque l'on se sent « incapable, incompétent ou paralysé dans une situation », c'est bien évident que cela est dû à une croyance. Les croyances sont tout simplement des affirmations personnelles qui m'autorisent ou m'interdisent d'être, de faire ou d'exprimer quelque chose. Elles sont les déductions et les conclusions que nous effectuons à partir de notre vécu. Elles sont donc déterminées non par une logique objective mais par la façon dont nous avons vécu une expérience. Les croyances sont ainsi à distinguer des faits.

Exemples
• Cette personne est compétente et agréable.
• L'expérience m'a appris qu'il faut se méfier des gens.
• Je suis capable d'apprendre l'informatique.
• J'ai une excellente mémoire.
• Je tiens compte de mes erreurs pour progresser.

- Je ne suis pas capable de communiquer avec cette personne.
- Je n'ai pas d'humour.
- Quand quelqu'un m'aime, c'est pour me rejeter ensuite.

Une croyance limitante est une affirmation personnelle, consciente ou inconsciente, source d'appréhensions, d'incapacité ou d'inhibitions.

Par exemple, si « je crois manquer de mémoire », il est probable que j'aurai de la difficulté à me rappeler le nom de mes clients.

Si je crois que « je suis nul pour négocier », cela ne m'aidera probablement pas dans une situation de négociation à être à l'écoute et ouvert aux attentes et critères de l'autre.

Si, par ailleurs, « je crois qu'il n'y a pas d'échec et seulement du feed-back », je vais pouvoir plus facilement retirer ce qui est positif suite à une expérience difficile et continuer à aller de l'avant en évitant le repli sur soi.

Si « je crois que je peux mener à terme tel projet », ma motivation, ma détermination, mes talents naturels de communicateur ou ma capacité à trouver des alliés vont être plus facilement activés.

L'ensemble de nos croyances détermine finalement l'image que nous avons de nous-mêmes et qui est à l'origine de nos comportements.

C'est également le niveau des valeurs. « La liberté, le respect, la tolérance, l'intégrité, l'éthique, l'ouverture d'esprit, la passion, la générosité, l'humilité, la sécurité » sont des exemples de valeurs.

Les valeurs, c'est ce qui est important à nos yeux. C'est ce que nous souhaitons vivre. Ce sont également nos critères pour décider et agir. C'est ici le niveau du Pourquoi.

Par exemple, si j'ai une valeur « Passion », je vais accorder de l'importance à faire des choses qui me passionnent, je vais probablement vouloir vivre de mes passions, je vais vouloir aller au bout de mes projets, je vais aussi certainement aller vers et attirer des gens passionnés.

Si j'ai une valeur « Humilité », je vais probablement être discret sur mes réalisations, être « low profile » ou être capable de laisser de la place aux autres.

Le coach sait être à l'écoute des croyances du coaché, à la fois de celles qui, de toute évidence, l'aide à atteindre ses objectifs, mais aussi de celles qui le limitent dans sa vision des choses ou lui font perdre confiance.

Les questions suivantes clarifient ce niveau :

- Que croyez-vous à propos de cette situation/ce problème/cette organisation ?
- Quelles sont vos convictions par rapport à ce projet ?

– En quoi cet objectif/ce rôle est-il important pour vous ?
– Croyez-vous en vos capacités dans ce domaine ? en celles des autres ?
– Que croyez-vous possible/impossible, utile/inutile, efficace/inefficace ?
– Comment décririez-vous ce qui est important pour votre équipe/entreprise ?
– Quelles sont les règles de cette organisation ?
– Comment m'expliqueriez-vous la culture de cette entreprise ?
– Qu'est-ce qui est important ici ?

• **Le niveau de l'Identité**

Nos valeurs et nos croyances sont le fruit du sens que nous avons de notre identité. Qui suis-je ? Comment est-ce que je me définis ? ou Quel est mon rôle dans mon organisation ? C'est ici le niveau du Qui.

C'est également le niveau de la Mission. Ainsi, plus je me connais, plus je peux réaliser ce à quoi j'aspire en mon for intérieur dans les différents domaines de ma vie.

Les questions suivantes clarifient ce niveau profond :

– Qui êtes-vous dans cette situation/en relation avec ce projet ?
– Quel est votre rôle/votre responsabilité ?
– Qui sont les autres ? Quels sont leurs rôles ?
– Comment la situation/le problème/le projet vous implique-t-il ?
– Vous sentez-vous exister dans cette situation/ces relations/ce projet ?
– Quelle est votre mission/votre idéal de réalisation personnelle ?

Le coach aide le coaché à consolider son identité, à en découvrir de nouvelles facettes et à les intégrer à sa conscience pour faciliter la réalisation de ses projets de vie.

• **Le niveau de la Spiritualité**

C'est le niveau du Qui et du Quoi d'autre. En réalisant progressivement dans ma vie ce que je suis, je peux me demander « à quoi je contribue de plus grand que moi ? ».

C'est le niveau qui dépasse ma simple personne. Il concerne la communauté, la société à laquelle j'appartiens, la planète entière, l'univers. Il concerne le fait que nous sommes reliés en tant qu'être vivant aux autres êtres vivants. Rappelons-nous la phrase de Martin Luther King Jr : « La question la plus pressante de la vie est la suivante : "Que faites-vous pour les autres ?" »

Les questions suivantes concernent ce niveau systémique :

- Quelle est votre vision par rapport à votre service/votre entreprise/ votre famille ?
- Quel est le but ultime ?
- À quoi de plus grand que vous ce que vous faîtes contribue-t-il ?
- À quoi aspirez-vous profondément et qui est plus grand que vous/qui vous dépasse ?

Le coach par son attitude envers le coaché inspire celui-ci. Il l'aide ainsi à entrer en contact avec sa propre spiritualité et sa propre vision.

Un coach professionnel aide ainsi son client à « aligner ses niveaux logiques ». Cela signifie qu'il l'aide à devenir plus cohérent, à actualiser le sens de son identité, à clarifier ses valeurs et ses croyances et leurs impacts par rapport à l'objectif souhaité. Ainsi, il aidera un dirigeant, un manager, un parent... à analyser clairement une situation, mettre de l'ordre dans leurs idées et, si besoin est, de savoir identifier chez les personnes auprès desquelles ceux-ci souhaitent agir les niveaux d'intervention pertinents et définir les actions appropriées pour réaliser les changements désirés.

Par ailleurs, il est important de noter que ce modèle révèle que les possibilités de dissolution d'un problème, d'un conflit ou d'une difficulté sont plus grandes si nous agissons au niveau supérieur auquel se trouve ce problème/conflit/difficulté. Par exemple, si un chef d'équipe nouvellement promu « croit qu'il n'a pas de leadership » (Niveau des croyances), malgré l'opinion contraire de son chef qui l'a nommé à cette place, il sera utile de travailler avec cette personne au niveau de son « identité comme chef d'équipe » et également au niveau de sa « mission » : « Comment définit-il ce qu'est un chef d'équipe ? » « Quel est son rôle ? » « Comment se fait-il que votre patron vous reconnaisse des talents de leadership », « Qu'est-ce qu'un leader pour vous ? », « Avez-vous pensé qu'un leader est une personne qui a des qualités que vous possédez déjà comme l'écoute, la force tranquille, la disponibilité, l'humilité, la capacité de se remettre en question... ? », « À quoi souhaitez-vous contribuer grâce à votre implication comme chef d'équipe ? ».

L'alignement des niveaux logiques permet alors : d'augmenter notre motivation en donnant du sens à ce que l'on fait, de développer notre influence et notre charisme, de catalyser et d'accélérer le changement souhaité en nous donnant accès plus pleinement à nos ressources internes.

Les niveaux logiques de changement selon Robert Dilts

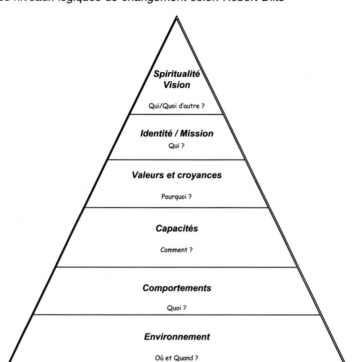

Exercice d'alignement des niveaux logiques[2]

Commencez par créer un espace physique pour chaque niveau logique. Le plus simple est d'écrire chaque niveau logique sur une feuille et de poser vos six feuilles à terre en respectant l'ordre d'interactions des niveaux.

Environnement	Comportements	Capacités	Croyances Valeurs	Identité Mission	Spiritualité Vision

« L'alignement des niveaux logiques » se déroule en deux temps. Le premier consiste à « monter les niveaux logiques », c'est-à-dire d'aller de

---

2. Exercice inspiré de R. Dilts et T. A. Epstein, *Dynamic Learning*, Meta Publications, 1995.

l'environnement vers la spiritualité. L'objectif est ici de clarifier comment vos niveaux logiques ou ceux de votre interlocuteur sont organisés en ce moment au regard de votre objectif, par exemple : « devenir un meilleur leader ».

Le deuxième temps consiste à « descendre les niveaux logiques » de la spiritualité vers l'environnement. L'objectif est là d'intégrer la nouvelle conscience de vos niveaux logiques à propos de votre objectif.

Phase 1 : « Montée des niveaux logiques »

Environnement	Comportements	Capacités	Croyances Valeurs	Identité Mission	Spiritualité Vision

Phase 2 : « Descente des niveaux logiques »

- **Phase 1 : Montée des niveaux logiques (Clarification)**

1. Commencez sur l'espace **Environnement** et répondez à la question : « Où et quand voulez-vous être le plus aligné/efficace/utile/inspirant comme leader/parent/enseignant/bénévole ? »

2. Allez sur l'espace **Comportements** et répondez aux questions suivantes : Comment agissez-vous concrètement (ce qu'une caméra vidéo filmerait...) quand vous êtes dans ces moments et endroits ? Quelles sont vos forces ? Comment voulez-vous vous comporter exactement ?

3. Allez sur l'espace **Capacités** et répondez aux questions : « De quelles capacités, habiletés, ressources internes, vous servez-vous pour avoir les comportements que vous avez déjà ? » ; « Quelles capacités devez-vous acquérir pour avoir les comportements que vous souhaitez ? » ; « Quelles stratégies de décision, d'organisation, de communication, d'évolution souhaitez-vous conserver/améliorer ? »

4. Allez sur l'espace **Croyances/Valeurs** et répondez aux questions : « Pourquoi utilisez-vous/voulez-vous utiliser ces capacités particulières pour atteindre votre objectif ? » ; « Quelles valeurs sont importantes pour vous lorsque vous êtes impliqué dans ces activités ? » ; « Au fond de votre cœur, quelles croyances vous guident-elles lorsque vous faites ces activités ? »

5. Allez sur l'espace **Identité** et répondez aux questions suivantes : « Qui êtes-vous comme leader/parent/enseignant... ? » ; « Qui êtes-vous si

vous possédez ces croyances, ces valeurs, ces capacités, ces stratégies et qui vous agissez tel que vous agissez dans cet environnement ? » ; « Que pensez-vous qu'est votre rôle, votre mission ? »

6. Allez sur l'espace **Spiritualité** et répondez aux questions : « Qui d'autre, Quoi d'autre servez-vous ? » ; « À quoi contribuez-vous et voulez-vous contribuer en réalisant qui vous êtes/votre mission ? » ; À quelle vision plus large que votre réalité quotidienne participez-vous ? » ; « Que pensez-vous qu'est votre vision ? »

- **Phase 2 : Descente des niveaux logiques (Intégration)**
1. Ancrez la physiologie et l'expérience intérieure associée à l'espace **Vision/Spiritualité**. Amenez cet état et retournez dans l'espace **Identité**. Combinez et alignez votre vision avec votre perception de votre identité et de votre mission. Remarquez comment cela rehausse et enrichit la représentation de votre identité et de votre mission. Répondez aux questions précédentes liées à l'identité et remarquez les différences.
2. Reprenez l'étape 1 pour chacun des autres espaces : **Croyances/ Valeurs, Capacités, Comportements** et **Environnement**.
3. Imprégnez-vous de toutes les sensations associées à cet alignement.
4. Terminez en vous posant les questions liées au futur : « Comment cette expérience d'alignement va-t-elle transformer, enrichir mon cheminement vers la réalisation de mon objectif ? » ; « Qu'est-ce qui sera différent ? » ; « Quoi d'autre ? », « Quoi d'autre... ? ».

LES POINTS CLÉS

- En plus d'être sources de motivation, les objectifs conscients que nous nous fixons, et nos tentatives pour les réaliser, augmentent notre expérience de la vie. Ils contribuent ainsi à développer notre confiance en nos capacités d'action et de réalisation, notre estime de nous-mêmes, notre maturité si nous avons « appris à apprendre » de nos erreurs et notre sens des responsabilités.

- Ils développent également notre flexibilité nous permettant de savoir comment établir des relations gagnant/gagnant fondées sur un esprit de coopération plus que de compétition.

- « L'alignement des niveaux logiques » est à la fois un modèle et un outil qui décrit comment on peut aborder le changement et là où se trouvent les difficultés qui peuvent empêcher l'atteinte des objectifs.

« Nous traitons les autres comme nous nous traitons nous-mêmes. »

Chapitre 2
Cultiver la confiance en soi et l'estime de soi

Qu'est-ce que la confiance en soi ?

« La confiance en soi est le secret du succès. »
R. W. EMERSON

Une des questions que j'entends le plus fréquemment lorsque j'anime des sessions de formations est : « Comment puis-je développer ma confiance en moi ? » C'est une question essentielle. Par ailleurs, le fait de l'entendre aussi souvent montre combien cette question n'a pas vraiment reçu de réponses constructives pour de nombreuses personnes au fil de leurs parcours de vie.

Combien de fois avons-nous fait l'expérience de ce qui est communément appelé un manque de confiance en soi ? Si souvent que nous ne pouvons le dénombrer. Ces « crises de confiance en soi » révèlent avec force l'importance de ce sentiment.

La confiance en soi est le sentiment résultant de l'intégration positive de nos expériences personnelles et professionnelles. Ce que nous nous sentons capables de faire dépend ainsi de la façon dont nous avons assimilé nos expériences de « réussites » ou d'« échecs ». La confiance en soi permet l'action et se nourrit de l'action.

Par exemple, les expériences suivantes ont contribué au développement de notre « confiance en soi » :
• apprendre à faire une nouvelle chose ;
• réussir à accomplir quelque chose de désiré ;
• réussir à faire quelque chose qu'on ne pensait pas pouvoir faire ;
• comprendre quelque chose de complexe ;
• résoudre un problème simple ou complexe ;
• convaincre, influencer ;
• négocier ;
• oser s'affirmer dans le respect de l'autre ;
• oser aller vers l'inconnu ;
• être satisfait de la façon dont nous avons vécu/géré une situation ;
• dépasser une épreuve ou un conflit.

Ces expériences ont finalement développé notre confiance en nous-mêmes puisqu'elles nous ont révélés ou confirmés dans nos capacités.

Le « sentiment de confiance en soi » est donc celui qui nous permet de croire : « je suis capable de... »

« Je suis capable » :
• d'agir ;
• d'oser ;
• d'aimer ;
• d'exprimer mes sentiments ;
• de dire ce que je crois ;
• d'entreprendre ;
• de croire en mes rêves ;
• d'écouter et de comprendre ;
• d'apprendre ;
• de m'ouvrir à d'autres cultures ;
• de me confier ;
• de demander du soutien ;
• de reconnaître les qualités d'autrui.

Avez-vous déjà pris une décision dont vous étiez sûr qu'elle était la bonne ? Cela m'est arrivé. Lorsqu'en juin 1989, je décide d'arrêter mes études universitaires, je savais intuitivement que c'était la bonne décision. Je n'avais plus de plaisir à étudier à l'université. Je *sentais* qu'il était temps de passer à autre chose. Quelques mois auparavant, j'avais rencontré Marie-Claude, une amie de mes parents, qui nous avait parlé avec enthousiasme de sa formation en PNL. Cela m'avait beaucoup intéressé et m'avait donné l'envie d'en savoir plus. Je me mis à lire un premier livre[1] sur cette approche qui me séduit beaucoup. Cela confirmait mon attirance pour ce qui touchait à la communication humaine. En septembre, je m'inscrivais à la formation de base en PNL à L'IFPNL[2]. Cette formation m'enchanta et je m'engageais finalement dans un parcours de deux ans jusqu'à obtenir ma certification de Maître Praticien en PNL en octobre 1991. Aujourd'hui, quinze ans plus tard, j'enseigne la PNL au Québec pour le CQPNL[3] et je la fais connaître dans les entreprises au profit des équipes de travail. Tout cela grâce à la confiance accordée à une intuition !

La confiance en soi nous permet d'oser agir. Elle nous donne du courage et nous pousse à prendre des initiatives, à nous impliquer. Elle nous porte à écouter notre intuition profonde. La confiance en soi renforce finalement nos capacités d'affirmation de soi et d'expression. Cela nous permet de développer par la suite une « spirale positive » : cette affirmation et cette expression de nous-mêmes, grâce aux feedback qu'elles apportent, nous conduisent à mieux nous connaître et à nous accepter. Confiance en soi, connaissance de soi et acceptation de soi sont intimement liées.

Cette confiance en nos capacités nous porte à agir et les résultats de notre action renforcent notre estime et notre confiance.

Lorsque nous subissons un échec, tout dépend alors de la façon dont nous le vivons.

Si notre « capital confiance » est élevé, nous en tirons une leçon et cela nous permet d'agir différemment ou avec de plus nombreux atouts (connaissances, pratique, vigilance, discernement...) par la suite. Si notre

---

1. R. Bandler et J. Grinder, *Les secrets de la communication*, Jour, 1998.
2. Institut français de Programmation neurolinguistique, www.ifpnl.fr.
3. Centre québécois de Programmation neurolinguistique, www.centrepnl.com.

confiance est faillible, elle peut être ébranlée par cet échec. Comme le souligne Lionel Bellenger : « La vraie confiance en soi se teste face à l'inconnu, au singulier et au risque[4]. » La qualité de l'environnement relationnel est bien sûr essentielle dans ces moments critiques pour gagner en confiance.

Je crois que l'on peut dire que l'on a confiance en soi lorsque l'on se sent en maîtrise de la situation, que l'on se sent capable d'atteindre un objectif, de relever un défi. La confiance est un état d'être complexe. La confiance en soi n'est pas un sentiment, c'est un cocktail de sentiments et de pensées.

La confiance en soi se nourrit de nos expériences antérieures de réussite. Celles où nous avons osé agir, décider, choisir. Celles aussi où, suite à une erreur ou un échec, nous avons su nous dire : « Qu'est-ce que j'ai appris de cette situation ? » plutôt que : « Quel imbécile ! »

La confiance en soi se forge sur le socle de nos apprentissages. Ce qui développe notre confiance en nous-mêmes ce n'est donc pas seulement les résultats positifs que nous obtenons, mais aussi notre capacité à adopter un état d'esprit constructif qui nous permet de nous remettre en cause, de nous poser les bonnes questions et de nous orienter vers l'avenir.

Fondamentalement, la confiance en soi repose sur la croyance que « nous possédons toutes les ressources pour évoluer, changer et résoudre des problèmes ». Cette croyance nous aide à traverser les épreuves de la vie, petites ou grandes, à relativiser la notion « d'échec ». Cette croyance nous permet de développer des qualités telles que : la détermination, la persévérance, la patience, le discernement ou la flexibilité.

Ainsi, la confiance en soi, indispensable à notre croissance et à notre bien-être se révèle être un sentiment qu'il s'agit de conquérir dans l'action.

 Persévérance
Voici l'histoire d'un homme qui :
Fit faillite à l'âge de 31 ans,
Fut battu aux élections législatives à 32 ans,

4. L. Bellenger, *La confiance en soi*, ESF Éditeur, 2004.

Fit de nouveau faillite à 34 ans,
Vit mourir sa petite amie à 35 ans,
Fit une dépression nerveuse à 36 ans,
Fut battu aux élections locales à 36 ans,
Fut battu aux élections du congrès à 43 ans,
Fut battu aux élections du congrès à 46 ans,
Fut battu aux élections du congrès à 48 ans,
Fut battu aux élections au sénat à 55 ans,
Ne put s'inscrire aux élections à la vice présidence à 56 ans,
Fut battu aux élections au sénat à 58 ans,
Fut élu président des États-Unis d'Amérique à l'âge de 60 ans,
Cet homme s'appelait : Abraham Lincoln.

Qu'est-ce que l'estime de soi ?

« Nul ne peut être vraiment heureux ni prospère à moins d'expérimenter
une authentique estime de soi. »
VIOLETTE LEBON

Si la confiance en soi s'accroît au fil des réussites, elle trouve sa source dans l'estime que nous portons à notre propre personne. En effet, plus nous nous estimons, plus nous nous sentons capables d'agir.

L'estime de soi se définit comme la valeur qu'une personne s'attribue à elle-même. Plus cette valeur est positive, plus le degré d'estime personnelle est élevé, plus elle est négative, plus la personne se mésestime elle-même.

La présence en soi de ce sentiment de valeur personnelle trouve son origine dans la relation à autrui. La qualité du regard que les autres portent sur notre personne influence la perception que nous avons de notre propre valeur.

Le degré de valeur que nous nous accordons dépend des jugements - positifs ou négatifs - formulés par notre environnement sur nous-mêmes en différentes situations.

 Exemples de jugements positifs :
• *Tu es intelligent ;*
• *Tu es doué ;*

- *Tu es créatif.*
Exemples de jugements négatifs :
- *Tu es nul ;*
- *Tu es incompétent ;*
- *Tu es maladroit.*

Lorsque nous entendons et acceptons un discours à notre égard, nous validons un certain degré d'estime ou de mésestime de soi en notre for intérieur.

Le « regard de la société » porté sur notre personne nous approuvant ou nous désapprouvant est donc essentiel dans l'assimilation du sentiment d'estime de soi. Notre façon de recevoir ces jugements détermine précisément la profondeur de cette assimilation.

 - *Si nous pensons : « Il a raison, je suis nul » ou « décidément, comme ils le disent, je suis vraiment inorganisé », nous abondons alors dans le sens des messages d'évaluation exprimés par certaines personnes.*
- *Si nous pensons : « Il dit n'importe quoi sans savoir, je sais bien ce que je vaux » ou « peu importe ce qu'ils pensent, je suis bien assez compétent et organisé pour y arriver », nous intégrons là notre sentiment d'estime de soi par réaction opposée aux jugements formulés par autrui.*

Que nous acceptions d'emblée un jugement négatif à propos de nous-mêmes ou que nous y réagissions en opposition, le degré d'estime de soi qui en résulte a pour origine autrui et son comportement envers nous-mêmes.

Par ailleurs, au fil de notre croissance, nous devenons plus à même d'édifier par nous-mêmes un bon degré d'estime de soi. Nous pouvons nous encourager, nous valoriser et nous féliciter.

Tant que nous validons, par besoin de sécurité et par peur d'être rejeté, des jugements limitants sur nous-mêmes, tels que :
- Je ne suis pas assez franc.
- Je suis trop lent.
- Je suis trop sensible.

Nous sommes pleinement dépendants de ce que pense autrui et nous intégrons ces jugements comme étant une réalité effective.

Cet état d'esprit inhibe finalement notre capacité à agir, à créer et à être autonome et développe des comportements limitants pour soi-même (timidité, repli sur soi, attitude hésitante, hypocrisie, agressivité) engendrant un sentiment diffus ou net de malaise dont nous ne savons comment nous défaire.

Au contraire, si au fur et à mesure de notre évolution, nous savons relativiser les jugements d'autrui, nous interroger sur notre valeur intrinsèque, découvrir par nous-mêmes nos capacités et développer des compétences, nous construisons une estime de soi qui ne dépend plus uniquement des regards portés par les autres sur nous-mêmes. Selon notre niveau d'estime, nous agissons donc avec aisance et confiance ou au contraire avec gêne et anxiété.

Lorsque nous sommes en position d'intervenant, il est de notre responsabilité de délivrer à nos interlocuteurs des messages constructifs qui les encouragent à continuer dans le même sens ou à s'améliorer et évitent le développement de l'inhibition et la méfiance. C'est l'objectif du « parrainage »

Le parrainage

« La croissance, la protection et le changement au niveau de l'identité sont développés à travers un certain type de relation : le parrainage. »
ROBERT DILTS

L'objectif du parrainage est de donner confiance à son interlocuteur pour lui permettre d'exprimer plus pleinement ses qualités et son potentiel. Le parrainage se réalise à travers l'expression envers autrui des métamessages suivants :
• Vous existez. Je vous vois et vous reconnais.
• Vous avez de la valeur.
• Vous êtes important/spécial/unique.
• Vous avez quelque chose d'important à apporter.
• Vous êtes bienvenu ici. Vous êtes à votre place.

Ces messages se transmettent à nos interlocuteurs par notre langage verbal et non verbal. Ces messages correspondent à une attitude, un savoir-être avec l'autre au quotidien. Ils constituent donc des « métamessages » valorisants et stimulants pour ceux qui nous entourent.

Par opposition, il existe des « messages de non-parrainage » ainsi que des « messages de parrainage négatifs ». Ceux-ci ont un impact énergivore sur nos interlocuteurs et parfois destructeurs. Comme le dit Robert Dilts : « Les messages de parrainage négatifs fonctionnent à la manière d'un "virus de pensée" qui nous limite et interfère avec nos habiletés de nous adapter au changement à l'intérieur et à l'extérieur de nous[5]. »

Ces messages de parrainage ont ainsi une influence déterminante sur l'estime de soi, la confiance en soi et notre efficacité. Ils concernent notre bien-être et notre santé psychologique.

Le parrainage est un art de la reconnaissance qui contribue largement au développement du potentiel des personnes. Et comme le disait Ménandre : « Le fruit le plus agréable et le plus utile au monde est la reconnaissance. »

Robert Dilts a réalisé le tableau suivant pour mettre en relief ces différents types de parrainage et leur impact émotionnel[6].

---

5. In R. Dilts, séminaire « Des outils systémiques pour le changement », 2004.
6. *Ibid.*

Les différents types de parrainage et leur impact sur les personnes

Parrainage positif	Non-parrainage	Parrainage négatif
Vous êtes vu.	**Vous n'êtes pas vu.**	**Vous ne devriez pas être là.**
Soulagement, détente.	Anxieux, invisible.	Effrayé.
Vous existez.	**On ne vous remarque pas.**	**Vous n'êtes rien.**
Centré, en paix.	Désespère d'avoir de l'attention.	Ne mérite pas.
Vous avez de la valeur.	**Vous n'avez pas de valeur.**	**Vous êtes un problème.**
Satisfaction.	Vide.	Blâme et honte
Vous êtes unique.	**Vous n'avez rien de spécial.**	**Vous êtes pire que les autres.**
Créatif.	Passif.	Inadéquat.
Votre contribution est importante.	**Vous ne contribuez à rien.**	**Votre contribution n'est pas souhaitée.**
Motivé et énergique.	Sans valeur et non sollicité.	Coupable, un fardeau.
Vous êtes bienvenu.	**Vous ne faites pas partie du groupe.**	**Vous n'êtes pas le bienvenu.**
Se sentir chez soi, loyal.	Pas à sa place.	Désir de partir ou de fuir.
Vous faites partie de.	**Vous pouvez facilement être remplacé.**	**Vous ne méritez pas d'être ici.**
Engagé.	Mal à l'aise.	Rejeté et abandonné.

L'ancrage de ressources

Définition de l'ancre

Élaborée par la programmation neuro linguistique (PNL), la technique de l'ancrage est fondée sur la notion d'ancre.

Une ancre est un stimulus qui déclenche des images et/ou des sensations et des sentiments chez une personne.

Un des exemples le plus connu est certainement la fameuse « madeleine de Proust » : « Et dès que j'eus reconnu le goût du morceau de madeleine trempé que me donnait ma tante, aussitôt la vieille maison grise sur la rue, où était sa chambre, vint comme un décor de théâtre[7]. »

Les États Internes

Un État Interne est une association de sentiments, de pensées, d'images et de sensations physiologiques (chaleur, fraîcheur, frissons, sudation...). On distingue les États Internes Ressources et les États Internes Limitants. Un État Interne Ressource est celui qui permet d'atteindre un objectif.

À l'inverse, un État Interne Limitant est celui qui entrave la réalisation d'un objectif.

Ainsi, ce que nous vivons intérieurement (les États Internes) influe sur le résultat ou la performance que nous réalisons. Ainsi, nous ne pouvons pas réussir un examen si nous nous sentons paralysé et incapable de nous concentrer (État Interne Limitant). Cela nous empêche de mobiliser efficacement notre mémoire et notre créativité.

Objectif de l'ancrage

L'ancrage a pour objectif de créer volontairement une ancre pour mobiliser nos ressources de façon à vivre de façon optimale telle ou telle situation.

Notre histoire personnelle constitue un vécu riche d'apprentissages, de souvenirs, de sentiments, de compétences et de savoirs qui sont finalement autant de ressources potentielles dans lesquelles nous pouvons puiser pour vivre pleinement le présent ainsi que pour construire l'avenir. En effet, comment se fait-il que nous puissions être parfaitement détendu sous la douche, alors que nous pouvons être stressé à l'idée de demander

---

7. M. Proust, *Du côté de chez Swann*, Gallimard, 1988.

une augmentation à notre patron. Pourtant, si précisément nous étions aussi détendu lorsque nous demandons une augmentation que lorsque nous sommes sous la douche, nous augmenterions nos chances d'obtenir cette augmentation. Au lieu de paraître stressé et mal à l'aise, notre état de détente nous permettrait du même coup d'être calme et assuré dans notre demande... ce qui aurait une meilleure influence sur notre patron qui serait plus à même d'accéder à notre demande. Comment accorder une augmentation à une personne stressée et peu sûre d'elle !

Or, nous possédons dans notre expérience cette ressource « détente ». D'ailleurs, lorsque nous parvenons à être dans l'état interne souhaité dans une situation spécifique, nous avons trouvé le chemin vers cette ressource utile pour être et agir comme nous le souhaitons dans cette situation. L'ancrage consiste à créer consciemment ce chemin. C'est comme si nous réalisions un « Copier-Coller ». Nous « savons » souvent le faire inconsciemment. Par ailleurs, La technique de l'ancrage permet de faciliter ce transfert de ressources, d'aller « copier » cette ressource-là où elle se trouve dans notre réservoir d'expériences et de la « coller » à la situation et à l'objectif poursuivi.

Processus de l'ancrage

Pratiquement, pour créer un ancrage de ressource, il suffit de choisir un geste (stimulus sensoriel) et l'associer à un État Ressource.

Le processus se déroule en six étapes :

• **Déterminer un objectif**

La technique de l'ancrage a pour but de nous donner les moyens d'atteindre un objectif :

– Être clair dans ma présentation de demain matin.
– Exprimer mes incompréhensions à mon nouveau collègue de travail la semaine prochaine.
– Rétablir le lien de confiance avec mon patron dans les semaines qui viennent.
– Mieux savoir parler en public d'ici 6 mois.
– Parler couramment l'espagnol dans trois ans.
– Courir 10 km une fois par mois.
– Améliorer sensiblement la qualité de mon alimentation.

• **Déterminer une ancre**

Avant de commencer le travail de l'ancrage à proprement parler, il est nécessaire de choisir une « ancre portable ». Par exemple :

– Faire le signe ok avec le pouce et l'index.
– Serrer le poing légèrement.
– Joindre les mains.
Il est important de choisir un geste simple et discret.

• **Déterminer l'État Ressource que nous souhaitons vivre et pour quel objectif** :
– La confiance en soi pour mieux parler en public.
– La créativité pour pouvoir gérer les imprévus lors de ma présentation devant l'équipe demain matin.
– La concentration pour écrire plus vite et mieux en ce moment.
– Le calme pour bien recevoir les objections de mon client et pouvoir y répondre.

• **Revivre l'État Interne Ressource retrouvé :**
Il s'agit de prendre le temps de retrouver un souvenir où vous avez expérimenté l'état ressource dont nous avons besoin aujourd'hui, par exemple la créativité.
Il n'est pas du tout nécessaire de retrouver un souvenir en rapport direct avec l'objectif qui peut être par exemple : « pouvoir improviser lors de ma présentation devant l'équipe demain matin ». N'importe quelle situation où vous avez été particulièrement créatif fait l'affaire.
Lorsque vous avez retrouvé une situation vécue, vous pouvez vous associer à votre ressource en vous laissant imprégner de ce souvenir de façon à le revivre mentalement et sensoriellement. L'idéal est de fermer les yeux pour bien se concentrer.
Pour ce faire, il faut avoir à l'esprit tous les éléments visuels, auditifs, tactiles et éventuellement olfactifs et gustatifs qui étaient présents à ce moment donné et qui sont naturellement associés à votre État Ressource.

• **Créer l'association entre l'ancre, la ressource et l'objectif**
Lorsque vous sentez que vous revivez pleinement votre État Ressource, vous faites alors votre geste, pendant une dizaine de secondes environ. Ainsi, pour votre cerveau, votre geste, votre ressource et votre objectif sont associés.

• **En situation réelle**
Par la suite, en situation réelle, il vous suffit alors d'effectuer votre geste pour mobiliser votre ressource. Parfois, le simple fait de penser à votre

geste ou de penser à votre objectif suffit pour mobiliser la ressource. Ces trois éléments sont désormais liés entre eux. Et le résultat est là : vous êtes créatif !

Récapitulatif

- Déterminer un objectif.
- Déterminer une ancre (geste).
- Déterminer une ressource spécifique : Calme, dynamique, joyeux, détendu, confiant, créatif, concentré...
- Retrouver un souvenir où vous avez expérimenté cette ressource.
- S'associer à la ressource.
- Ancrer la ressource (faire le geste).
- En situation réelle, stimuler son ancre (utiliser son geste) : par exemple, en entrant dans la salle de réunion, faire discrètement son geste.

LES POINTS CLÉS

- La confiance en soi est le sentiment résultant de l'intégration positive de nos expériences personnelles et professionnelles. Ce que nous nous sentons capables de faire dépend ainsi de la façon dont nous avons assimilé nos expériences de « réussites » ou d'« échecs ». La confiance en soi se nourrit de l'action.

- L'estime de soi se définit comme la valeur qu'une personne s'attribue à elle-même. Plus cette valeur est positive, plus le degré d'estime personnelle est élevé, plus elle est négative, plus la personne se mésestime elle-même.

- « Parrainer » une personne, c'est lui transmettre authentiquement des messages positifs de façon à lui permettre de gagner en confiance afin de faciliter l'expression de ses qualités et de son potentiel.

- Une « ancre » est un stimulus qui déclenche des images, des sensations et des sentiments chez une personne. L'« ancrage » est un outil qui permet de mobiliser nos ressources internes et celles est de nos interlocuteurs.

« Personne ne vous aimera jamais pour votre travail ou vos réalisations. Les gens vous aiment pour le sentiment que vous leur inspirez. »

ANONYME

Chapitre 3
Créer des relations de qualité

L'écoute active et la disponibilité à l'autre

« Parce que nous pensions que nous devions persuader, nous avons oublié d'écouter. »
ROBERT SCHAPIRO

 Nan-in, maître zen sous le règne des Meiji, reçut un jour un professeur de l'université venu s'informer sur le zen.

Comme il servait le thé, Nan-in remplit la tasse de son visiteur à ras bord et continua à verser.

Le professeur regarda le thé déborder, jusqu'à ce qu'il s'écriât, excédé :
« plus une goutte, ma tasse est pleine »
Tout comme cette tasse, dit Nan-in, tu es rempli de tes propres opinions. Comment pourrais-je te montrer ce qu'est le zen si tu ne vides d'abord ta tasse[1] ?

1. P. Reps, *« Le zen en chair et en os »*. Albin Michel, 1998.

Au cours d'un échange, les personnes avancent souvent leur point de vue et s'interrompent mutuellement plutôt que de prendre le temps de réellement s'écouter.

Elles passent ainsi plus de temps à parler, juger et interpréter ce que leur dit leur interlocuteur.

Au contraire, être un bon auditeur, c'est manifester envers autrui une attitude d'attention et d'intérêt. Concrètement, il s'agit de montrer clairement à son interlocuteur si l'on comprend ou si l'on ne comprend pas ce qu'il nous dit.

Cette attitude est appelée écoute active. Elle est une écoute attentive et participative. Elle est l'expression d'un désir authentique d'être en relation avec l'autre.

Elle permet d'instaurer et de développer un climat de confiance et de reconnaissance mutuelle. La véritable écoute est donc un acte de compréhension. Écouter, c'est comprendre.

Il est ainsi différent de simplement entendre quelqu'un (recevoir son message) et de l'écouter (comprendre et mémoriser).

L'écoute active est une attitude relationnelle qui demande une grande disponibilité intérieure.

Cette disponibilité s'appuie sur le développement de trois capacités affectives :
– La bienveillance : c'est le sentiment d'une disposition positive envers l'autre.
– L'authenticité : c'est la capacité à être connecté à ce que nous ressentons intérieurement. Dans un échange, il s'agit d'être conscient de l'impact du discours et du comportement d'autrui sur notre personne. Cela nous permet d'en tenir compte dans la reformulation de ses propos.
– L'empathie : c'est la capacité à percevoir et à comprendre de l'intérieur ce que pense et ressent autrui. Comme le dit un proverbe amérindien : « Ne juge pas un autre homme tant que tu n'as pas marché mille kilomètres dans ses mocassins. »

Un chef d'État recevant le Dalaï Lama, lui demanda :
« Cher Dalaï Lama, pouvez-vous m'éclairer sur votre secret ? Avec toutes les catastrophes, misères, responsabilités, vos voyages, vos conférences, comment faites-vous pour rester serein et si disponible ? »
« Cher Ami, voici mon secret :
Quand je suis assis, je suis assis.
Quand je me lève, je me lève.
Quand je mange, je mange.
Quand je parle, je parle.
— Mais cher Dalaï Lama, moi aussi :
Quand je suis assis, je suis assis.
Quand je me lève, je me lève.
Quand je mange, je mange.
Quand je parle, je parle !
— Non, répond le sage en lui souriant.
Cher Ami, voici la différence :
Quand vous êtes assis, vous pensez à vous lever.
Quand vous vous levez, vous pensez à courir.
Et quand vous courez, vous pensez à votre but. »

 ## La reformulation

L'écoute active s'appuie concrètement sur la reformulation.

Reformuler ce que dit votre interlocuteur revient à résumer, en quelques mots ou en peu de phrases, ce qu'il vient d'exprimer afin qu'il se sente suivi.

La reformulation est une technique simple qui permet de vérifier si vous comprenez clairement ce qu'énonce votre interlocuteur. Il ne s'agit donc ni de discuter, ni de commenter, ni d'interpréter.

Vous pouvez utiliser les formules suivantes pour initier votre reformulation :

- Si je comprends bien...
- Si j'ai bien compris...
- Autrement dit...
- Donc...
- J'ai bien compris globalement votre idée, mais ce que je n'ai pas parfaitement compris, c'est...

La reformulation constitue finalement un excellent moyen de donner du feedback à son interlocuteur. Cela lui permet de se sentir suivi et peut l'aider également à se recentrer et à clarifier son discours.

Il est important d'apprendre à reformuler :
• de façon naturelle : reformuler avec simplicité et authenticité ;
• avec précision : utiliser, sous forme de synthèse, les mêmes termes que l'interlocuteur ;
• au bon moment : lorsque l'interlocuteur fait une pause ou lorsqu'il vient de terminer d'expliquer une idée.

Une écoute est ainsi d'autant plus efficace si :
• vous n'interrompez pas votre interlocuteur en donnant votre avis : « je pense que tu pourrais faire ainsi » ;
• en le jugeant : « tu le fais exprès ! » ;
• vous osez demander des clarifications lorsque vous n'êtes pas sûr d'avoir compris.
  – Vous pouvez ainsi reformuler ce que vous avez compris puis demander des éclaircissements sur ce qui vous a échappé :
    « Ce que j'ai bien compris, c'est votre difficulté à vous organiser et à coopérer avec cette personne, mais ce que je n'ai pas saisi c'est comment cela se manifeste exactement. »

Développer son acuité sensorielle par l'observation active

L'observation active consiste à « calibrer » les réactions non verbales de nos interlocuteurs.
« Calibrer » signifie observer finement les indicateurs non verbaux exprimés par notre interlocuteur puis à les associer à un certain état interne.

En effet, ce que nous pensons et ressentons à un moment donné va de pair avec une réaction physiologique qui, elle, est observable. Souvenez-vous : « tout comportement humain est cohérent ».

Exemple
• Lorsque nous sommes enthousiastes et heureux, nous ne nous promenons pas dans la rue le dos courbé, les épaules voûtées, le regard vague et éteint ou la mine défaite. Nous avons, au contraire, plutôt l'air joyeux, décidé, le visage souriant, le regard vif, et nous pouvons siffloter ou chantonner.

La calibration nous conduit à vérifier que les états internes s'expriment physiologiquement et comportementalement de façon unique et personnelle. Telle personne en colère le manifeste physiquement de telle façon, et telle autre personne d'une autre façon.

En plus, des comportements facilement observables (macro-comportements), une expression corporelle s'accompagne d'éléments plus subtils dont il faut ternir compte (microcomportements), tels que :
• la respiration (rythme, fréquence, profondeur) ;
• les mouvements du visage : des lèvres, des yeux, du menton, du front, des joues, des sourcils ;
• la coloration de la peau : être pale ou rougir ;
• la taille des pupilles ;
• clignement des yeux ;
• se mordiller les lèvres ;
• l'inclinaison de la tête et les hochements ;
• la nature du regard : « l'étincelle du regard », « l'indifférence dans le regard » ;
• les mouvements involontaires des mains et des doigts ;
• la transpiration sur le visage ;
• ton, rythme et volume de la voix.

Ce sont particulièrement ces microcomportements qu'il s'agit d'observer avec finesse. Ils sont importants à observer car notre volonté n'a pas de réelle prise sur eux. Ce sont des mouvements « involontaires ». Étant hors de portée de notre volonté, ils « témoignent » fidèlement de notre expérience interne. Pour dissimuler un malaise, autant nous pouvons, si « nous y mettons la volonté » contrôler ou réprimer certains gestes (garder le sourire, tremblements des mains...) avec plus ou moins de succès, autant il est difficile de contrôler des micro-gestes qui sont hors du champ de notre conscience. Ces micro-expressions révèlent ainsi notre véritable état intérieur.
Les observer vous permettra de savoir dans quel état interne spécifique se trouve la personne avec qui vous échangez :

Exemple
• Léger rougissement, respiration abdominale soudaine, léger mordillement des lèvres, yeux qui clignent... qui témoignent qu'elle a été touchée par un compliment et se sent gênée.

Bien entendu, cela est plus facile si vous côtoyez suffisamment cette personne car vous avez déjà pu remarquer ces réactions simultanées particulières chez elle... et vous lui avez déjà demandé comment elle se sent lorsqu'elle réagit ainsi. Cela vous évite d'interpréter ce qu'elle ressent. Observer n'est pas interpréter. Précisément, véritablement observer c'est comme « prendre une photo » de votre interlocuteur pour pouvoir ainsi mettre en relation son expression spécifique à un moment donné à une expérience intérieure particulière (mentale, émotionnelle et physiologique). D'où l'expression « calibrer ».

En résumé, calibrer :
- nous apprend à devenir plus attentifs aux types de réaction et d'expression des personnes qui nous entourent.
- permet d'évaluer l'impact de notre communication sur nos interlocuteurs par l'identification de leurs réactions qui reflètent l'état interne dans lequel ils se trouvent. Cela nous fait intégrer cette vérité de communication : « le véritable impact d'un message est révélé par les réactions qu'il suscite ».
- nous évite de juger maladroitement et trop rapidement la réaction de notre interlocuteur. Par exemple : « Tu as l'air triste. - Je ne suis pas triste, je suis songeur ! »
- nous permet d'adapter notre communication en fonction de ce que nous observons concrètement.

L'observation des mouvements oculaires

Les recherches en neurophysiologie ont permis de montrer que nous réalisions tous des mouvements oculaires involontaires. On sait aujourd'hui que ces mouvements des yeux sont associés à une recherche sensorielle précise.
Ainsi, selon que nous nous parlons en nous-mêmes, que nous pensons à des souvenirs sous forme d'images ou que nous éprouvons des sensations et des sentiments, nos yeux se dirigent dans des directions différentes.
Cela s'explique par la localisation dans notre cerveau des aires cérébrales en différents endroits qui stockent nos informations sensorielles (visuelles, auditives, kinesthésiques, olfactives et gustatives). L'œil étant relié à notre cerveau par le nerf optique, nos mouvements oculaires témoignent ainsi de l'endroit du cerveau que nous mobilisons selon le

type de recherche (souvenirs visuels ou auditifs, sentiments) ou d'action cognitive que nous réalisons (création imaginaire, dialogue interne). Lorsque nous portons attention aux mouvements oculaires de nos interlocuteurs, nous obtenons des informations sur leurs modes de pensée et de représentation sensorielle dominants. Ce sont ainsi des informations complémentaires que nous obtenons qui nous permettent d'optimiser notre synchronisation avec notre interlocuteur.

Observation des mouvements oculaires

• *Visuel Souvenir*
Lorsque la personne avec laquelle vous communiquez lève les yeux en haut vers votre droite (vers sa gauche), elle fait appel à sa mémoire visuelle. Cet accès est appelé « Visuel Souvenir » noté « VS ».

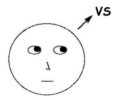

• *Visuel Construit*
Si la personne lève les yeux vers la gauche, cet accès est appelé « Visuel Construit » noté « VC ».

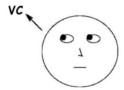

• *Auditif Souvenir*
Si la personne bouge ses yeux latéralement vers votre droite, elle accède à sa mémoire auditive. Cet accès est appelé « Auditif Souvenir » et noté « AS ».

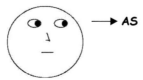

• **Auditif Construit**

Si la personne les bouge latéralement vers votre gauche, cet accès est appelé « Auditif Construit » et noté « AC ».

• **Auditif interne**

Lorsque la personne baisse ses yeux vers votre droite, cela signifie qu'elle se parle à elle-même, qu'elle tient un dialogue intérieur. Cet accès est appelé « Auditif interne » et noté « Ai ».

• **Kinesthésique**

Si la personne baisse les yeux vers votre gauche, elle accède au sens kinesthésique. Cet accès correspond à la dimension affective au sens large (sentiments, émotions, sensations corporelles) et il est appelé « Kinesthésique interne » et noté « Ki ». Cet accès peut également concerner une recherche olfactive ou gustative.

L'orientation des mouvements oculaires présentés est valable pour les personnes droitières. Pour les gauchers, les mouvements sont généralement inversés entre la gauche et la droite.

Diversité des sensibilités et progression de l'échange

Notre échange au quotidien avec des personnes ayant des perceptions, des intentions et des comportements différents, nous permet de prendre conscience de l'extraordinaire diversité des sensibilités humaines.

Comme l'expliquait le philosophe F. Hegel au début du XIXe siècle : « La conscience naît de l'opposition des contraires. »

Cette vérité de communication nous permet d'approfondir notre compréhension de l'évolution de nos relations avec autrui, en nous mettant face à nos contradictions internes.

Au cours des moments de découverte de l'autre, des interrogations, plus ou moins conscientes, émergent en nous telles que :

• « Qui est l'autre ? »

• « Qui suis-je pour l'autre ? »

• « Qui est l'autre pour moi ? »

Pour pouvoir aller plus avant dans nos relations, c'est-à-dire pour pouvoir passer de la phase de la découverte de l'autre à celle de l'action constructive avec lui, il faut passer par des moments de compréhensions et d'incompréhensions, d'accords et d'oppositions. En ayant suffisamment échangé avec l'autre, et non pas seulement l'avoir souhaité, nous pouvons progressivement évaluer nos points communs et nos points de divergences.

Le dépassement des appréhensions et des zones de non-connaissance de la part des interlocuteurs permet l'émergence des sentiments de sécurité et de liberté chez ces derniers.

Cette émergence aboutit à une connaissance et donc à une reconnaissance mutuelle suffisantes pour agir éventuellement ensemble. Elle correspond au passage de la relation « je/tu » à celle du « nous ».

C'est seulement à partir de ce moment-là qu'il devient possible d'élaborer des objectifs, des projets communs et de travailler à leur réalisation.

Échanger est donc avant tout un acte d'être sensible, y compris lorsque cet échange se situe sur un plan intellectuel (échange et confrontation d'idées qui est par ailleurs une façon de s'affirmer en tant que personne indépendante et qui, de toute façon, ne laisse pas autrui dans l'indifférence).

Cela montre clairement combien la relation est un jeu d'interinfluences conduisant à la découverte de soi-même par la découverte de l'autre.

Se synchroniser pour établir le rapport avec l'autre

> « Quand nous avons des choses en commun avec les gens,
> nous les considérons comme des amis ou des alliés. »
> TAMARA ANDREAS

Le désir de créer une relation avec autrui est une tendance naturelle de l'être humain.

C'est une étape essentielle de la communication dont l'enjeu est d'établir un bon contact et de créer la confiance.

La confiance, voilà le maître mot. La confiance est la terre fertile grâce à laquelle tout ce qui y est semé peut croître et s'épanouir.

Lorsque nous souhaitons communiquer un message à une personne ou à un groupe, il est important d'adapter notre langage à notre interlocuteur. Il s'agit d'une preuve d'intérêt de notre part qui va déclencher son attention et son écoute. C'est aussi une façon de rassurer notre interlocuteur sur notre capacité à communiquer avec lui, ce qui augure des possibilités de dialogue et de négociation lorsqu'un désaccord se présentera.

La synchronisation est la faculté qui nous permet naturellement, donc inconsciemment, de nous adapter à autrui. S'adapter signifie, par exemple, utiliser les mêmes mots que notre interlocuteur (reformulation), adopter une attitude non verbale proche ou utiliser le même débit de parole.

Par exemple, grâce à notre faculté innée de synchronisation, nous pouvons entrer en relation avec un bébé en adoptant son « langage bébé » mais aussi en nous asseyant à terre pour nous mettre à sa portée. Par ailleurs, prenez le temps d'observer que deux personnes qui sont amoureuses et sont à une table de restaurant font fréquemment les mêmes gestes au même moment, comme si elles agissaient en miroir.

Nous sommes capables également de nous adapter à des codes culturels différents, lorsque nous voyageons par exemple, et qu'une fois le choc culturel passé, nous pouvons souhaiter réussir à mieux communiquer avec les étrangers, ne serait-ce qu'en commençant à utiliser des mots dans leur langue propre. Si vous êtes en transaction avec un informaticien, utiliser son langage technique, même dans la limite de vos connaissances.

La synchronisation est un phénomène de communication profondément ancré en nous. Vous avez sans aucun doute déjà remarqué, dans un cinéma ou un amphithéâtre d'université que si une personne tousse ou bâille, dans la seconde qui suit, une autre personne, puis généralement plusieurs autres, toussent ou bâillent également. C'est comme si une « onde de toux, ou de bâillement », s'était soudainement propagée dans la foule réunie !

Dire bonjour, se saluer, se présenter, échanger des cartes de visite sont généralement les premières manifestations d'une communication.

La relation est créée par ces échanges stéréotypés et constitue une initiative pour aller vers l'autre. C'est une façon d'envoyer à l'autre des signes de reconnaissance pour l'inciter, à son tour, à aller vers nous.

En voulant installer un climat relationnel de compréhension et de confiance, nous manifestons notre volonté de collaborer avec autrui. Il n'existe pas pour autant nécessairement d'affinités affectives ou idéologiques entre interlocuteurs. Il s'agit seulement d'établir une communication satisfaisante tout en restant conscient des différences et des divergences.

En milieu professionnel, la confiance mutuelle est un prérequis pour fonctionner efficacement ensemble. Comment faire confiance à quelqu'un dont nous doutons des compétences ou dont nous n'apprécions pas sa façon de communiquer ?

Il s'agit simplement de trouver, en étant un bon observateur, quelle est la meilleure façon pour se synchroniser avec son interlocuteur. Cette pratique consciente est particulièrement utile lorsque, visiblement il est difficile de se faire comprendre.

La synchronisation permet d'accompagner son interlocuteur dans une relation qui facilite sa concentration, précise ses pensées et oriente l'échange vers des objectifs communs.

Notre synchronisation, pour être efficace, doit finalement reposer sur un désir authentique d'être en relation avec l'autre. Sinon, elle n'est qu'une manipulation intentionnelle.

Cette capacité naturelle que nous possédons à nous adapter à l'autre par la synchronisation, dont nous ne pouvons faire l'impasse si nous souhaitons optimiser nos communications, nous permet finalement de développer notre flexibilité relationnelle.

 La synchronisation non verbale et verbale

Pour apprendre à se synchroniser volontairement sur autrui, il est important de se réserver des moments de pratique qui permettent d'affiner notre capacité naturelle d'adaptation à l'autre.
Choisissez une à trois personnes avec lesquelles vous souhaitez :
• mieux communiquer ;
• établir un lien de confiance plus approfondi ;
• négocier une entente ;
• transmettre un message délicat sans la heurter ;
• faire comprendre votre point de vue.

La synchronisation se réalise donc à différents niveaux :

- au niveau corporel (non verbal) :
  - posture générale,
  - position corporelle : assis/debout, jambes ou bras croisés, bien adossé ou position du corps vers l'avant,
  - gestuelle : gestes spécifiques, microcomportements, degré d'amplitude des gestes ;

- au niveau de la voix (paraverbal) :
  - volume de la voix,
  - rythme de parole,
  - tonalité ;
  - les silences et les pauses doivent également être pris en considération de façon à respecter le rythme de son interlocuteur.

- au niveau du langage verbal :
  - parler la même langue,
  - utiliser une terminologie particulière : langage informatique, technique, comptable, psy, commercial...,
  - parler du même sujet,
  - employer les mêmes prédicats : termes sensoriels ;

- au niveau des croyances :
  - partage de valeurs,
  - partage d'opinions,
  - partage de centres d'intérêts.

- au niveau des objectifs :
  - partage d'un but commun,
  - partage d'intérêts communs.

Synchonisation non verbale

À chaque occasion de rencontre avec cette personne, synchronisez-vous sur sa posture globale dans un premier temps. Faites-le discrètement et naturellement jusqu'à ce que vous vous sentiez à l'aise.
À ce moment, soyez attentif à l'impact de votre nouvelle attitude sur votre interlocuteur.
Si une plus grande fluidité dans l'échange s'installe, votre effort d'adaptation porte ses fruits.
Profitez-en pour passer votre message !

Synchronisation paraverbale

Il s'agit à ce niveau de se synchroniser sur les paramètres vocaux de vos interlocuteurs, en premier lieu sur le rythme et le volume de leur voix. Cette pratique est particulièrement efficace au téléphone.
Il est possible également de se synchroniser sur le ton de la voix (plus ou moins aigu ou grave).

Synchronisation verbale

En plus d'utiliser la même langue et de parler du même sujet, vous pouvez vous entraîner à vous synchroniser sur le langage sensoriel de votre interlocuteur au moment où vous échangez.
Il s'agit de s'entraîner à parler dans différents registres sensoriels :
Exemples d'expressions sensorielles courantes :
- C'est clair, je vois bien ce que vous voulez dire.
- C'est parlant, j'entends bien ce que vous me dites.
- C'est frappant, je sens bien quel problème vous soulevez.
- Formulation non spécifique : « La réalisation de ce projet me semble bien incertaine. »
  - Formulation visuelle : « Je ne vois pas clairement les possibilités de réalisation de ce projet » ; « Je suis dans le flou lorsque je pense à ce projet. »
  - Formulation auditive : « Je ne parviens pas à me mettre à l'écoute de ce projet » ; « Je suis sourde à ce projet. »
  - Formulation kinesthésique : « Je ne sens pas que je peux réaliser ce projet » ; « Je ne me sens pas à l'aise avec ce projet. »

Prenez le temps d'être à l'écoute des termes sensoriels employés par l'interlocuteur, et adopter volontairement le même registre.
Les synchronisations paraverbale et verbale sont les plus discrètes et les plus élégantes. Elles viennent renforcer efficacement la synchronisation non verbale.

• Les prédicats

Nous sommes des êtres sensoriels et notre langage en est le révélateur. Pour mieux cerner la façon dont une personne vit, ou a vécu, une situation, il est nécessaire de s'entraîner à repérer les termes sensoriels qu'elle emploie lorsqu'elle parle de son expérience. Ces termes sensoriels sont appelés les prédicats.

L'écoute des prédicats nous sensibilise à la façon dont nos interlocuteurs se représentent leur expérience. Voici une liste de prédicats concernant les principaux systèmes de perception et de représentation :

Visuel

Voir,	flash,	au regard de,
regarder,	vague,	à la lumière de,
montrer,	flou,	afficher ses ambitions,
éclairer,	net,	broyer du noir,
point de vue,	photographie,	entre gris clair et gris
foncé,	perspective,	peindre, cadrer,
vision,	scruter,	cacher,
visualiser,	distinguer,	c'est inimaginable,
sombre,	afficher,	clarifier,
brillant,	assombrir,	faire écran,
coloré,	éclaircir,	un tour d'horizon,
voir la vie en rose,	voir sous son vrai jour,	tableau,
écran,	à première vue,	toile de fond,
couleur,	en voir de toutes les couleurs,	noircir,
cliché,	à l'horizon,	discerner,
exposer,	faire la lumière	imprimer

Auditif

Entendre,	ça sonne juste,	faire la sourde oreille,
parler,	comme de bien entendu,	résonner,
écouter,	harmonieux,	amplifier,
dire,	le fin mot de l'histoire,	symphonie,
questionner,	cacophonie,	c'est inouï,
dialoguer,	les murs n'ont pas d'oreille,	crier,
accord,	hurler,	avoir la puce à l'oreille,
sonner,	ça ne me dit rien,	prêter l'oreille,
bruit,	j'ai ouï dire,	musique,
voix,	désaccordé,	mélodie,
se faire entendre,	déclic,	tonalité,
écho,	autrement dit,	note,
marmonner,	un écho favorable,	son,
donner le ton,	cela sonne vrai, hein !	
être sur la même longueur d'onde		

Kinesthésique

Ressentir,	mou,	enfoncer le clou,
toucher,	dur,	saisir une occasion,
cela me touche,	tendre,	bûcher,
être en contact avec,	donner un coup de main,	flotter,
prendre les choses en main,	décontracté,	palper,
concret,	impact,	sensible,
choc,	ça me reste là,	froid
insensible,	les pieds sur terre,	le nœud de l'action,
toucher du doigt,	en avoir gros sur le cœur,	sentimental,
solide,	avoir la chair de poule,	trancher,
ferme,	température,	en matière de.
toucher du bois,	stress,	chaleureux
écrasant,	ménager les sensibilités,	
remuer le couteau dans la plaie		

Olfactif et gustatif

Odeur,	amer,	renifler,
goût,	ça ne mange pas de pain,	acide,
parfum,	saliver,	sucré,
sentir,	déguster,	mi-figue - mi-raisin,
humer,	savourer,	alléchant
entre la poire et le fromage,	salé,	avoir du flair,
faire la fine bouche,	ça sent le roussi,	assaisonné,
poivré,	l'argent n'a pas d'odeur,	une affaire juteuse,
pimenté,	être au parfum,	dégoûtant

Ces listes sont non exhaustives. Il existe quantité d'autres termes et expressions dans chaque registre sensoriel.

Préférences sensorielles

L'observation montre que tout individu possède un canal sensoriel privilégié dans lequel il se sent capable des distinctions les plus fines et les plus précises.

Les personnes que l'on dit observatrices, rêveuses, créatives, ayant le sens de l'orientation, sensibles aux couleurs et à la décoration sont tout simplement à dominante visuelle.

Les personnes dites à l'écoute, sensibles à la qualité de l'environnement sonore, favorisant le dialogue, ayant une oreille musicale, aimant chanter, sensibles aux voix des personnes ont développé la dominante auditive.

Les personnes dites sensibles et attentives aux sentiments des autres, émotionnelles, sensibles au toucher, sachant s'exprimer avec leur corps, douées de leurs mains, ont développé une dominante kinesthésique.

Bien sûr, on peut être tout à la fois visuel, auditif et kinesthésique. Par ailleurs, selon le contexte dans lequel on se trouve, la personne à qui l'on parle, l'objectif que nous poursuivons ou le sujet dont nous parlons, il est intéressant d'observer que se dégage une dominante sensorielle.

Le méta-modèle

Le « méta-modèle » est un outil de questionnement, issu de la PNL.

Poser des questions pertinentes à nos interlocuteurs fait partie de l'art de la communication. Cela témoigne de notre capacité à écouter, à s'adapter et à accompagner ceux-ci dans un échange constructif.

Concrètement, le « méta-modèle » est un outil qui permet :

- De retrouver l'ensemble des informations perdues au cours du processus qui consiste à exprimer son expérience avec des mots.
- D'identifier les éléments qui transforment le discours en énoncé subjectif tels que les suppressions, les généralisations et les interprétations.
- De limiter les incompréhensions et les malentendus.
- De relativiser les limitations présentes dans le discours de notre interlocuteur.

« Méta » est un terme grec qui signifie : « au-dessus de », et modèle : « qui rend compte de ».

Le méta-modèle est donc le modèle qui rend compte du langage, qui lui-même est déjà un modèle puisqu'il témoigne de l'expérience sensorielle perçue et mémorisée.

En fait, plus on s'éloigne de la description des faits, plus l'imprécision et la marge d'erreurs augmentent dans nos échanges. L'information la plus précise est donc celle qui est restée le plus près de l'expérience initiale.

Notre apprentissage et notre communication sont influencés par des processus de fonctionnement dits universels parce qu'ils sont présents en tout individu. Ce sont des processus naturels et inconscients.

Processus de sélection

La sélection est le processus qui consiste à retenir certains aspects de notre expérience et à en éliminer d'autres.
Cela nous permet de ne pas être submergé d'informations lorsque nous nous concentrons sur une chose en particulier.

Exemple
- Lors d'une réunion de travail, nous n'avons pas besoin d'être attentif aux types de stylos qu'utilisent nos interlocuteurs, aux détails des motifs sur leurs cravates, à la composition du tissu qui compose leurs sièges, aux marques de leurs chaussures et à leur taux de cholestérol !

Au niveau du langage, le processus de sélection permet d'exprimer de façon concise une expérience qui a pu durer longtemps :
Exemples
- « Comment a été ta semaine à New York ? » - « Oh Super ! » (Là, on perd pas mal d'informations !)
- Pouvez-vous lire le contenu de ce triangle :

Relisez-le à nouveau !

Avez-vous remarqué que « CE » est écrit deux fois ! La plupart des personnes ne le voient pas. Pour une raison simple : notre cerveau fonctionne vite et avant d'avoir tout lu, il a enregistré le sens de la phrase. Nous énonçons alors ce que nous pensons avoir lu. Cela signifie que parfois nous ne percevons pas ce qui est pourtant sous nos yeux !

Processus de généralisation

La généralisation consiste à transférer ce que nous avons appris à un moment donné dans une situation particulière à d'autres situations similaires rencontrées par après.
Exemples
- Lorsque nous étions enfant : apprendre à faire du vélo avec tel vélo, apprendre à lacer avec telles chaussures, apprendre à ouvrir une porte spécifique nous a permis par la suite de : savoir faire du vélo avec n'importe quel vélo, savoir lacer toutes les chaussures, savoir ouvrir toutes les portes !
- Comme adolescents ou adultes : avoir appris l'informatique avec tel ordinateur nous permet aujourd'hui d'utiliser n'importe quel autre ordinateur.

Ce processus permet d'engranger des expériences de référence qui sont « réactivées » aussitôt que nous nous trouvons par la suite en présence d'un élément semblable.
Bien que nous facilitant la vie, cette faculté est à double tranchant et peut, à partir d'une seule expérience, conduire à une généralisation abusive, autrement dit à un stéréotype et une caricature : « Tous les Français sont râleurs » ; « Les jeunes sont malpolis aujourd'hui » ; « Les hommes sont égoïstes » ; « Les femmes sont trop sensibles »...

Processus de distorsion

Le processus de distorsion concerne notre capacité à transformer notre perception de la réalité.
C'est à la fois un processus d'interprétation et de création.
Exemples
- Une personne vous dit : « Quand je dois animer un groupe, je me sens incapable et je perds tous mes moyens. » Ici, le fait de se retrouver devant un groupe entraîne un état interne limitant qui est finalement une interprétation négative de ses propres capacités. La situation d'être devant un groupe déclenche un état et un comportement particulier qui induit un processus de distorsion (interprétation d'une réalité).
- Lorsque nous visitons une maison entièrement vide en vue de l'acheter, nous sommes capables d'imaginer que nous pouvons y installer tels meubles, que nous pouvons l'aménager et la décorer de telle façon.

Nous changeons ainsi mentalement la réalité physique présente. Là aussi, nous utilisons le processus de distorsion (imagination et création).

Présentation détaillée du méta-modèle

• **Processus de sélection**

– Suppression simple
Lorsque la phrase de notre interlocuteur est pauvre en contexte, nous avons affaire à un fait imprécis. Sont absents un qualificatif ou un complément d'objet ou de circonstances qui viendraient donner un sens plus clair et précis au message.
Exemples
– Je suis parti en vacances cette année.
– Il s'est cassé une jambe.
– Il est en colère.
– La communication passe mal ici.
– Je ne suis pas d'accord.
– J'ai suivi son conseil.
– Il se sent seul.
– Elle me manque.
Il est possible de poser les simples questions suivantes pour préciser les faits :
– Où/Quand/Quoi/Avec qui précisément ?
– À propos de quoi/De qui exactement ?
– Comment spécifiquement ?
– De quelle manière/façon ?
– Depuis quand ?

– Suppression de l'index de référence
Lorsque le sujet ou un élément de référence dans la phrase sont imprécis.
Exemples
– Ils ne m'écoutent pas.
– Cela n'a pas d'importance.
– Ils l'ont encore appelé.
– On dit qu'il va y avoir des licenciements.
– On n'a rien à se mettre sous la dent.
– Nous devons limiter nos pertes, je vous demande de vous y consacrer.

Il est utile de poser les questions suivantes pour retrouver l'index de référence :
– Qui ne t'écoute pas exactement ?
– Qu'est-ce qui n'a pas d'importance ?
– Qui t'a encore appelé ?
– Qui « On » ?
– À qui demandez-vous de « s'y consacrer » exactement ?

– <u>Suppression du comparatif</u>
Lorsque la phrase énoncée présente un comparatif ou un superlatif mais que son complément est absent qui permettrait de mieux saisir le sens de ce qui est dit.

Exemples
– Il vaut mieux s'en aller.
– Mon frère est le plus intelligent.
– Je suis plus en forme.
– Elle est plus lente.
– Je suis moins sportif.

Il est utile de poser les questions suivantes pour retrouver l'élément de comparaison :
– Mieux que quoi ?
– Plus que qui ? Qui est moins intelligent que ton frère ?
– Plus que qui, quand ?
– Moins que qui, quand ?

– <u>Verbes non spécifiques</u>
Les verbes, même lorsqu'ils sont sensoriels (par exemple, voir, entendre, ressentir, goûter) manquent de spécificité car ils figent l'action en la traduisant. Ce qu'ils veulent dire exactement, ce qui est « caché derrière » reste mystérieux si on ne pose pas des questions... spécifiques :

Exemples
– Il m'a rejeté.
– Elle m'a salué.
– Les étudiants m'agacent.
– Mon chef m'ignore.
– Cet élève perd confiance.

Il est utile de poser les questions suivantes pour préciser ce que cache le verbe :
– Comment t'a-t-il rejeté exactement ?
– Elle t'a salué de quelle façon ?
– Comment s'y prennent-ils exactement ?
– Comment fait-il cela spécifiquement ?
– Comment cela se manifeste-t-il exactement ?

– Les nominalisations
Les nominalisations sont tous les mots que l'on ne peut pas « mettre dans une brouette ! », tels que « amour, harmonie, confiance, plaisir, énergie... ». Ils sont non spécifiques car chaque personne projette des choses différentes pour chacun de ces termes. Une nominalisation s'apparente également à une « action gelée » dans le sens où il fige le processus actif du verbe auquel il est lié : « Aimer, être en harmonie, avoir confiance, faire plaisir, avoir de l'énergie... »
Exemples
– La communication est mauvaise entre nous.
– La méfiance règne ici.
– Mes collègues ne me témoignent pas leur reconnaissance.
– J'ai nettement gagné en confiance en moi.

Il est utile de poser les questions suivantes pour préciser ce que cache le terme nominalisé :
– Qui veut communiquer quoi à qui exactement ?
– Comment cela se manifeste-t-il concrètement ?
– Qu'est-ce qu'il ne reconnaît pas exactement ?
– En quoi as-tu plus confiance en toi maintenant spécifiquement ?

• **Processus de généralisation**

– Les opérateurs modaux
Il existe deux types d'opérateurs modaux. Les opérateurs de nécessité et les opérateurs de possibilité. Les opérateurs modaux sont en fait des règles, à savoir des principes qui orientent et délimitent nos actions en fixant ou décértant ce qui est utile/inutile, nécessaire/non nécessaire, possible/impossible. Au niveau individuel comme au niveau d'un groupe ou d'une organisation, l'intérêt d'une règle n'est pas éternel. Telle règle

de conduite, qui a eu son intérêt à un moment donné, peut ne plus en présenter aujourd'hui.

Les opérateurs modaux de possibilité expriment ce qui est possible ou ce qui n'est pas possible de dire/faire/être d'après une personne selon le contexte.

Les opérateurs modaux de nécessité se présentent sous la forme :
– On doit...
– On ne doit pas...
– Il faut...
– Il ne faut pas...
– Il est nécessaire de...
– Il est indispensable de...

Exemples
– On ne doit pas regarder la télévision pendant le repas.
– Il faut s'organiser autrement.
– Il est nécessaire de cacher ses sentiments.
– Il faut que je lui parle.
– Je dois terminer ma thèse cette année.

Exemples d'opérateurs modaux de possibilité :
– Je ne peux pas lui mentir.
– Je ne peux pas lui résister.
– Il est impossible d'aller plus loin.

Pour relativiser le propos trop limitant de notre interlocuteur, nous pouvons les questions suivantes :
– Qu'est-ce qui vous en empêche ?
– Que se passerait-il si vous le faisiez/ne le faisiez pas ?
– En quoi c'est important pour vous ?
– En quoi cela pose-t-il problème ?

La première question fait apparaître les raisons qui fondent la règle, alors que la seconde fait apparaître les conséquences qui découleraient du non-respect de celle-ci. Les deux dernières questions mettent à jour les valeurs de notre interlocuteur.

– Les quantifieurs universels
La présence de certains mots indique que l'interlocuteur généralise son expérience :
– Toujours.
– Jamais.
– Aucun.
– Chaque fois.

– Partout.
– Nulle part.
– Personne.
– Rien.

Face à une généralisation abusive, il est nécessaire de reprendre le mot qui indique la généralisation à la forme interrogative en insistant dessus.

Exemples
– Elle ne m'écoute jamais.
– Tous les professeurs sont de mauvais pédagogues.
– Il n'existe aucun fonctionnaire aimable.
– Personne ne travaille correctement ici.
– Il ne veut jamais sortir.
– Rien ne marche.

Répondre :
– Jamais ? ou Qu'est-ce qui l'en empêche ?
– Tous ?
– Aucun ?
– Personne ? Vraiment personne ?
– Quand est-ce que ce n'est pas le cas ?
– Que se passerait-il si cela marchait ? Comment cela pourrait-il marcher ?

– Les origines perdues

Ce sont des généralisations à propos de la réalité. Elles se présentent comme des vérités par celui qui les énonce. Elles ne correspondent en fait qu'à sa vision des choses et leur origine se perd parfois « dans la nuit des temps ». Ce sont parfois des énoncés stéréotypés que nous énonçons comme des « perroquets ».

Exemples
– C'est mal de mentir.
– Un parent ça doit être constant avec ses enfants.
– Les enfants doivent obéir.
– Il est dangereux de courir trop longtemps.
– Les Asiatiques sont disciplinés.

Questionner :
– Mal pour qui/par rapport à quoi ?
– Qui a dit ça ?

– C'est écrit où dans le grand livre de la vie cela ?
– Comment le sais-tu ?
– Qui disait ça déjà ?
– D'où cela vient-il exactement ?

• **Processus de distorsion**

Il existe trois formes de distorsions :
– les causes/effets ;
– les équivalences complexes ;
– la lecture de pensée.

– Causes/effets
Il s'agit d'établir un rapport causal entre deux éléments : « X cause Y »
Exemples
– Il me rend nerveux.
– Il me casse les pieds.
– Mon collègue m'énerve.
– Je voudrais changer de travail mais mon mari ne veut pas !

Il est alors possible de demander :
– En quoi est-ce qu'il vous casse les pieds ?/vous rend nerveux ?
– Comment s'y prend-il exactement ?
– Comment fait-il cela spécifiquement ?
– Qu'est-ce qui vous fait dire cela ?
– Sur quoi vous basez-vous pour dire cela ?
– En quoi le fait que votre mari ne souhaite pas que vous changiez de travail vous empêche de le faire ?

– Équivalences complexes
Il s'agit de confondre deux expériences pourtant différentes dans leur signification. C'est le système « X prouve Y ».
Exemples
– Je n'ai pas assez de diplômes pour réussir professionnellement.
– Il ne me regarde pas, donc il ne m'apprécie pas.
– Il ne m'appelle pas, quel culot !
– Mon patron m'aurait donné ce poste, s'il avait de la considération pour moi.
Il est possible de demander pour mieux comprendre et pour permettre éventuellement à son interlocuteur de relativiser ce qu'il dit :

– En quoi « X » prouve-t-il « Y » ?
– En quoi le fait que vous n'ayez pas assez de diplômes (« X ») prouve que vous ne puissiez pas réussir professionnellement (« Y ») ?
– Sur quoi vous basez-vous pour dire que vous ne pouvez pas réussir professionnellement ?
– Avez-vous déjà rencontré des personnes qui ont réussi professionnellement et qui n'ont pas de diplômes ? (contre-exemple).
– En quoi le fait qu'il ne vous regarde pas vous prouve qu'il ne vous apprécie pas ?
– En quoi le fait qu'il ne vous donne pas ce poste vous montre qu'il ne vous considère pas ?
Pour dissocier X et Y :
– « X » est une chose et « Y » en est une autre.
  • Ne pas vous regarder est une chose (« X »), ne pas vous apprécier en est une autre (« Y »).
  • Ne pas vous appeler est une chose, avoir du culot en est une autre.

– Lecture de pensée
Elle consiste à attribuer des intentions, des pensées, des sentiments et des comportements à une personne sans en vérifier l'exactitude.
Exemples
– Je sais bien quelles sont vos intentions.
– Je vois bien ce que tu penses.
– Elle ne m'estime pas.
– Il ne m'aime pas.

Questions :
– Comment pouvez-vous savoir quelles sont mes intentions ?
– Comment sais-tu ce que je pense ?
– Comment fais-tu cela ?
– Sur quoi vous basez-vous pour dire cela ?
– Comment le savez-vous exactement ?

Tableau de synthèse du méta-modèle

PROCESSUS	QUESTIONNEMENT	EFFET
PROCESSUS DE SÉLECTION		
Sélection simple : • *Je suis en colère.*	• *À propos de qui ?* • *À propos de quoi ?*	*Retrouve ce qui est supprimé*
Suppression de l'index de référence : • *Ils ne m'écoutent pas.* • *Cela n'a pas d'importance.*	• *Qui ne t'écoute pas exactement ?* • *Qu'est-ce qui n'a pas d'importance ?*	*Retrouve l'index de référence*
Suppression du comparatif : • *C'est mieux de s'en aller.* • *Il est plus intelligent.*	• *C'est mieux que quoi ?* • *Plus intelligent que qui ?*	*Retrouve l'autre terme de la comparaison*
Verbes non spécifiques : • *Il m'a rejeté.* • *Mon chef m'ignore.*	• *Comment a-t-il fait cela ?* • *Comment cela se manifeste-t-il exactement ?*	*Précise l'action derrière le verbe*
Nominalisations : • *La communication est mauvaise entre nous.* • *La méfiance règne ici.*	• *Qui veut communiquer quoi à qui ?* • *Comment cela se manifeste-t-il exactement ?*	• *Réalise que c'est un processus* • *Spécifie le verbe et l'action* • *Retrouve les suppressions*
PROCESSUS DE GÉNÉRALISATION		
Quantifieurs universels : • *Elle ne m'écoute jamais.* • *Personne ne travaille correctement ici.*	• *Jamais ?* • *Que se passerait-il si elle t'écoutait ?* • *Qu'est-ce qui l'en empêche ?* • *Personne ?* • *Quand est-ce que ce n'est pas le cas ?*	• *Retrouve un contre-exemple* • *Retrouve les résultats attendus ou craints*

Opérateurs modaux : • De nécessité : Je dois prendre soin d'elle. • De possibilité : Je ne peux pas le laisser tomber.	• Que se passerait-il si tu ne le faisais pas ? • Que se passerait-il si tu le faisais ? • Qu'est-ce qui t'en empêche ?	• Retrouve le résultat • Retrouve la cause
Origine perdue : • C'est mal de mentir.	• Qui disait ça déjà ? • Mal pour qui ? • Comment sais-tu que c'est mal ?	• Retrouve la source de la croyance • Fait réaliser à la personne que c'est elle qui pense cela
PROCESSUS DE DISTORSION		
Cause/Effet : • Il me rend triste.	• En quoi est-ce qu'il te rend triste exactement ? • Est-ce qu'il y a des moments où il ne te rend pas triste ?	• Retrouve la relation de cause à effet • Retrouve un contre-exemple
Équivalence complexe : • Il ne me regarde pas, il ne m'apprécie pas.	• En quoi le fait qu'il ne te regarde pas te prouve qu'il ne t'apprécie pas ? • Ne pas regarder est une chose, ne pas apprécier en est une autre ? • Est-ce qu'il t'est déjà arrivé de ne pas regarder quelqu'un et pour autant l'apprécier ?	• Retrouve la croyance (par exemple : « Quand on apprécie quelqu'un on le manifeste par son regard ») • Dissocie les deux éléments • Retrouve un contre-exemple
Lecture de pensée : • Il ne m'estime pas.	• Comment le sais-tu ? • Sur quoi te bases-tu pour affirmer cela ?	• Retrouve l'origine de l'information (l'équivalence complexe)

Allier communication et créativité

« La créativité correspond au cheminement mental que nous empruntons
pour découvrir de nouveaux rapports entre les choses,
les événements et ainsi produire des idées utiles et originales face
à une situation donnée. »
BRIGITTE BOUILLERCE

Pour évoluer l'être humain a dû imaginer des solutions pour relever les défis qui se présentaient à lui. La créativité est un potentiel inné en nous. Elle nous permet de nous adapter, de changer et d'évoluer. Comme tout potentiel, il est soumis à nos croyances et à notre vision des choses. Un jour une personne m'a dit « Je ne suis pas du tout créatif », puis un autre jour, une autre personne m'a affirmé : « La créativité c'est ma passion. » Entre ces deux extrêmes, je suis partisan du second pour avoir constaté que les personnes que l'on trouve ou qui se trouvent créatives sont plus heureuses dans la vie... et elles sont surtout moins ennuyantes !

Mes interventions auprès d'individus et de groupes m'ont amené à réaliser que la créativité et la curiosité sont toujours présentes lorsque les trois éléments suivants sont réunis : la confiance en soi, l'enthousiasme et l'ouverture d'esprit.

- La confiance en soi « donne la permission » de laisser aller notre potentiel créatif et nous porte à mettre en application nos idées.

- L'enthousiasme est le fait d'être animé par un intérêt et une motivation authentiques dans nos actions. Cette motivation réveille et canalise notre énergie et celle des autres.

- L'ouverture d'esprit concerne les facultés d'écoute, de non-jugement, de tolérance et de curiosité. Cette capacité permet de s'arracher au poids des préjugés et de la tendance à la pensée unique.

Ces trois états internes développent également des capacités telles que l'attention et l'observation, la mémoire et la concentration, l'esprit de synthèse et la capacité à demander, entre autres.

Je les considère comme les trois piliers de la créativité.

Ce que je trouve particulièrement intéressant avec ces trois éléments, c'est qu'il suffit que deux d'entre eux soient présents pour que le troisième émergent naturellement.

Lorsque nous sommes dans une situation où nous avons confiance en nous-mêmes et où nous sommes motivés (enthousiasme), notre esprit s'ouvre de lui-même, nous devenons naturellement éveillés à ce qui nous entoure, ouvert à apprendre. C'est ce qui se passe par exemple lorsque nous voyageons dans un pays étranger que nous avons envie de découvrir (enthousiasme) et dans lequel nous nous sentons bien (confiance).

De la même façon, lorsque nous sommes ouverts (disponibles à ce qui nous entoure) et enthousiastes, la confiance s'amplifie. Pensez à la confiance que vous ressentiez lorsque vous veniez d'obtenir un emploi dans un domaine pour lequel vous rêviez de travailler et pour lequel vous étiez prêt à apprendre chaque jour.

Enfin, lorsque vous êtes ouverts, attentifs à ce qui vous entoure et confiants en vous-mêmes, votre enthousiasme s'amplifie également.

Les trois piliers de la créativité

Dans ma vie d'animateur, un déclic important s'est fait en moi lorsque j'ai réalisé combien il était important d'illustrer mes propos d'anecdotes, d'analogies, de métaphores, d'expressions vivantes et imagées. Cela a considérablement augmenté l'impact de mes interventions. L'attention et l'intérêt des participants sont mobilisés immédiatement.

L'utilisation de la communication illustrée permet d'éviter les censures habituelles de l'esprit critique, des jugements et préjugés. Ils s'adressent directement à l'imaginaire de notre interlocuteur.

Elle peut être utilisée lorsque nous nous heurtons à des oppositions systématiques. Elle permet d'assouplir les résistances de notre interlocuteur.

Ainsi, la communication illustrée est comme un pont établi entre la situation actuelle (État Présent) et l'objectif que l'on souhaite atteindre (État Désiré).

La communication illustrée permet à la personne ou aux personnes auxquelles elles s'adressent d'élargir leur vision de la situation, d'ouvrir leur champ de perception et de représentation, de libérer des perspectives, de trouver des ressources et des solutions.

Au final, la communication illustrée est une forme de discours dont l'influence est efficace dans le sens où elle permet de faire le lien avec l'expérience réelle des personnes. Elle est le contraire d'un discours théorique sans lien avec l'expérience des personnes. Elle évoque ainsi pour chacun des réalités vécues, sensibles et vivantes.

Les différentes formes de communication illustrée

La communication illustrée peut prendre différentes formes.

- Des expressions imagées :
  - la lumière de l'esprit ;
  - la fleur des ans ;
  - à fleur de peau.

- Des proverbes :
  - Le voyage est plus important que la destination.

– Celui qui rame à contre-courant fait rigoler les crocodiles. (proverbe burkinabé)
– Aucun de nous n'est aussi malin que nous tous. (proverbe japonais)
– Celui qui a peur de demander est honteux d'apprendre. (proverbe danois)
– Au mieux on peut inventer une chose dans sa vie, mais on peut en perfectionner mille. (proverbe japonais)
– Il est plus facile d'arracher l'herbe dans le pot de fleur de son voisin, que le baobab dans son jardin. (proverbe bantou)
– Tant va la cruche à l'eau qu'à la fin elle se casse.
– Pierre qui roule n'amasse pas mousse.

• Des analogies :
   – Un médecin dépourvu de connaissances en communication, c'est comme un bon garagiste mais qui ne sait pas dire bonjour.
   – La jalousie est à la réussite ce que les moucherons sont à la lumière. (Victor Hugo)
   – Les mots sont comme des diamants. À trop les polir on en fait des cailloux. (Bryce Courtenay)
   – L'échec est l'épice qui donne sa saveur au succès. (Truman Capote)
   – Une métaphore, c'est comme un doigt pointé vers l'étoile polaire.

• Des métaphores
   « La métaphore constitue le mécanisme de base qui permet aux humains de structurer la réalité. »
   M. J. GANNON

 Dans un conte Zen, un étudiant s'assoit en méditation. Son maître le voit et lui demande : « Qu'est-ce que tu fais là ? » L'étudiant répond : « Je médite pour atteindre la perfection. » Le professeur se saisit alors d'une pierre et commence à la frotter. « Qu'est-ce que tu fais là ? » demande l'étudiant. « J'ai l'intention de polir cette pierre jusqu'à ce qu'elle devienne un miroir », lui dit le maître. « Même si tu frottes cette pierre pendant des siècles, cette pierre ne deviendra pas un miroir », dit l'élève. « Même si tu médites pendant des siècles, tu n'atteindras pas la perfection », lui répond le maître.

Il est préférable de ne pas expliquer le sens des métaphores. Il est plus efficace de laisser jouer les interprétations libres de chacun. À partir du moment où la forme choisie est appropriée au message que l'on souhaite faire passer, il est inutile d'en rajouter en expliquant notre interprétation personnelle. Comme le dit J. A. Malarewicz : « une métaphore ouvre naturellement des portes, des fenêtres, des chemins, des voies nouvelles ».

Application de la communication illustrée en milieu professionnel

Dans le cadre professionnel, la communication illustrée peut être utilisée pour dépasser des situations bloquées, pour permettre de résoudre des problèmes organisationnels, relationnels, managériaux, ainsi que pour motiver, influencer ou négocier. Une analogie, un proverbe, une métaphore peuvent donner soudainement un nouvel éclairage, changer la perspective, atténuer une résistance. Parfois, il n'est pas utile d'un long échange et encore moins d'un savant discours pour avancer. Quelques mots percutants dits au bon moment peuvent suffire pour faire passer son message.

Exemples

- Proverbes métaphoriques :
  - Les jumelles permettent de voir loin mais pas de marcher droit.
  - Le poisson est mal placé pour découvrir l'existence de l'eau !
  - On ne tente pas un lion avec de l'herbe !
  - Si vous chassez deux lapins en même temps, ils vous échapperont tous les deux !
  - Celui qui n'a pas encore traversé la rivière ne doit pas se moquer de celui qui se noie.
  - L'avenir de la chenille, c'est le papillon.
  - Ne cachez pas vos talents. Ils ont été créés pour être utilisés. À quoi servirait un cadran solaire toujours à l'ombre ?
  - Arrosez les fleurs, pas les mauvaises herbes !
  - Celui qui ne sème pas au printemps ne récoltera pas à l'automne.
  - Une flèche qui atteint sa cible est plus efficace qu'un missile qui rate la sienne !
  - On ne plante pas une fleur dans un bloc de béton !
  - Le parfum reste toujours dans la main de celui qui donne la rose. (Hada Bejar)

- On peut allumer des dizaines de bougies à partir d'une seule sans en abréger la vie. On ne diminue pas le bonheur en le partageant. (Boudha)
- L'archer est un modèle pour le sage. Quand il a manqué le milieu de la cible, il en cherche la cause en lui-même. (Confucius).

- Analogies :
  - Les hommes sont comme les hérissons, ils meurent de froid quand ils sont seuls mais ils se piquent en se rapprochant.
  - Espérer seulement, c'est un peu comme pêcher sans hameçon.
  - Apprendre cela rapidement, c'est comme essayer de boire à une lance à incendie.
  - La rigidité fixe le caractère comme l'œuf que l'on a fait durcir ou comme la crème qui est prise.
  - Illustrer sa communication c'est comme semer des graines dans une terre fertile.
- Brèves métaphores :
  - Léonard de Vinci faisait remarquer qu'il suffisait d'un petit mouvement presque imperceptible du gouvernail pour pouvoir faire virer un navire merveilleusement grand et très lourdement chargé, en dépit du poids de l'eau qui fait pression sur chacune de ses planches, et malgré les vents impétueux qui gonflent ses puissantes voiles.
  - Un promeneur rencontre dans une forêt un bûcheron fébrilement et péniblement affairé à scier en petits morceaux un tronc d'arbre déjà abatu. Il s'approche afin de voir pourquoi le bûcheron se démène à ce point et dit : « Excusez-moi, mais quelque chose me frappe : votre scie est complètement émoussée. Vous ne voulez pas l'aiguiser ? » Alors le bûcheron gémit, épuisé : « Je n'ai pas le temps : il faut que je scie ! »
  - Quand un grain de sable pénètre dans une huître, elle l'agresse au point que pour se défendre, l'huître sécrète de la nacre arrondie. Et cette réaction de défense donne un bijou dur, brillant et précieux. (Boris Cyrulnik)

LES POINTS CLÉS

- L'écoute active est une écoute attentive et participative. Elle est l'expression d'un désir authentique d'être en relation avec l'autre.

- L'observation active consiste à « calibrer » les réactions non verbales de nos interlocuteurs. « Calibrer » signifie observer finement les indicateurs non verbaux exprimés par notre interlocuteur de façon à pouvoir adapter notre communication en tenant compte de ce que l'on observe.

- Nous possédons une faculté innée de synchronisation. La synchronisation est la faculté qui nous permet naturellement, donc inconsciemment, de nous adapter à autrui.

- La synchronisation verbale et non-verbale est également un « outil de communication » que nous pouvons utiliser pour mieux nous faire comprendre d'autrui.

- Poser des questions pertinentes à nos interlocuteurs fait partie de l'art de la communication. Cela témoigne de notre capacité à écouter, à s'adapter et à accompagner ceux-ci dans un échange constructif.

- La confiance en soi, l'enthousiasme et l'ouverture d'esprit développe notre communication créative.

- La communication, lorsqu'elle est illustrée de métaphores, proverbes ou analogies, augmente notre impact positif auprès d'autrui.

« La réussite appartient à tout le monde. C'est au travail d'équipe
qu'en revient le mérite. »

Chapitre 4

Communiquer efficacement
en équipe

Dynamique et fonctionnement des groupes

Un groupe est un ensemble d'individus réunis dans un cadre formel (institutions, entreprises, écoles, clubs sportifs, voyages organisés) ou informel (bandes de copains) dans un but avoué de production (biens ou services) ou d'apprentissage, de découvertes, de formation.

Différents types de groupe

• Groupes primaires

Les groupes dits primaires sont caractérisés par un « petit nombre » allant de 2 minimum jusqu'à environ 50 maximum.

Dans ces groupes, chaque individu peut rencontrer chaque membre et échanger avec lui. Les relations sont directes : tout le monde se connaît plus ou moins.

Sont des groupes primaires, aussi appelés petits groupes ou groupes restreints :
* *la famille (qui est appelée groupe naturel ou groupe de base) ;*
* *les salariés d'une petite entreprise ;*
* *une équipe de recherche en laboratoire ;*
* *des stagiaires en formation ;*
* *une équipe de sport ;*
* *un groupe d'amis ;*
* *un atelier ;*
* *un jury ;*
* *un équipage ;*
* *les membres d'un comité d'entreprise.*

• Groupes secondaires
Les groupes dits secondaires, appelés aujourd'hui organisations, sont caractérisés par un nombre de personnes supérieur à 50.
Dans ces grands groupes, les relations ne peuvent être directes avec tous les membres.

 Sont des groupes secondaires :
* *une moyenne ou une grande entreprise ;*
* *des groupes institutionnalisés comme les administrations ;*
* *les corps professionnels (avocats, médecins) ;*
* *les corps d'état (police, corps d'armée...) ;*
* *une fédération sportive.*

Les groupes sont le lieu d'interactions nombreuses dont la compréhension est intéressante car elle révèle la vie relationnelle, sociale et culturelle des êtres humains.

Différentes dimensions du groupe

Un groupe s'organise autour de plusieurs dimensions qui sont plus ou moins développées selon les groupes.
* dimension historique ;
* dimension organisationnelle ;
* dimension relationnelle ;
* dimension psychologique.

• **Dimension historique**

Le groupe, quel qu'il soit, développe sa propre histoire liée à sa dynamique interne. Il s'inscrit nécessairement dans un contexte social, économique et culturel qui l'influence et contribue à la constitution de sa culture interne (valeurs, codes, règles, routines...). Par exemple, Le service commercial d'une entreprise dépend d'un champ plus vaste constitué par l'ensemble des autres services, par la structure hiérarchique de l'entreprise, par l'ensemble des filiales de l'entreprise. Il est alors dépendant des décisions prises à ces différents niveaux.

• **Dimension organisationnelle**

La dimension organisationnelle est relative à l'organisation propre du groupe, à savoir la distribution et l'articulation des rôles ainsi que les objectifs du groupe et les moyens mis en place pour y parvenir.

• **Dimension psychologique**

La dimension psychologique concerne la vie affective et psychologique du groupe.

Le groupe, posant d'emblée, par son existence même, le problème de « l'être ensemble », révèle de ce fait l'acuité des facteurs d'ordre affectif et psychologique qui animent et orientent la vie du groupe, à savoir :
• les relations de chaque membre à l'autorité ;
• le degré de maturité émotionnelle des personnes ;
• les aptitudes à communiquer ;
• la motivation.

Étapes du développement d'un groupe

Un groupe n'est pas statique. Il évolue en passant par différentes phases de développement. Comme le souligne Raymond Chappuis : « L'équipe n'est pas d'emblée une organisation cohérente : elle le devient, façonnée par la volonté commune. »

• **Groupe informel**

Lorsque des personnes se rencontrent et se réunissent pour la première fois dans un lieu, elles ne sont pas immédiatement opérationnelles. Elles le deviennent au fur et à mesure que l'organisation, les objectifs et les rôles de chacun se clarifient.

Une majorité de personnes sont intérieurement inquiètes, voire anxieuses durant cette phase. Les échanges sont peu nombreux et souvent stéréotypés.

• Groupe fusionnel

Après la phase d'incertitude, les personnes sont rassurées lorsque les objectifs commencent à être clarifiés et qu'une première organisation se met en place.

Le sentiment d'appartenance au groupe est mis en avant. Le désir d'intégration de chaque personne est vécu comme essentiel. On parle plus du groupe en tant qu'entité que des individus eux-mêmes.

Le groupe est également à cette étape plus centré sur sa construction et son existence que sur son efficacité à proprement parler.

• Groupe conflictuel

Le désir de différenciation caractérise la phase conflictuelle où les leaders s'affirment, où les tensions entre personnes sont latentes ou ouvertes, les divergences de points de vue sur les stratégies, l'organisation ou les objectifs s'expriment, les enjeux de pouvoir se manifestent. Le groupe devient alors un « espace de tensions ».

Le risque de cette étape est l'éclatement du groupe s'il ne sait pas maintenir sa cohésion naissante. Par ailleurs, l'avantage de cette étape est l'accroissement de la productivité et une plus grande créativité. La présence et l'action d'un chef d'équipe, conscient de cette étape, sont alors essentielles pour réguler cette phase sensible.

• Groupe-équipe

Lorsque les tensions, liées aux divergences ou aux incompréhensions, ont été exprimées et dépassées, un sentiment d'appartenance est intériorisé par les membres du groupe. Les compétences diverses et les différences interpersonnelles sont acceptées ce qui permet un échange libre et authentique des idées et des appréciations.

Une équipe est ainsi un groupe restreint travaillant vers un but commun clarifié. Toutes les personnes se connaissent et ont la possibilité d'échanges relationnels directs. Les rôles de chacun sont également

clairs et acceptés par tous. Une équipe est donc un groupe parvenu à maturité.
Les membres du groupe étant suffisamment rassurés et reconnus, font preuve :
– de motivation par rapport au travail et aux objectifs ;
– de solidarité ;
– de communication active.
Chaque personne se sait en interdépendance avec les autres.
Chacun apporte sa compétence (intellectuelle, technique) mais aussi engage sa propre personne.
Les membres d'une équipe ont ainsi acquis une conscience d'appartenance et développent une forme de culture commune.

Les apports de Mayo, Moreno, Lewin

Elton Mayo et l'enquête de Hawthorne

Dans l'usine de Hawthorne de la Western Electric Company, près de Chicago, E. Mayo, philosophe australien (1880-1950) est à l'origine d'une enquête menée de 1927 à 1932. Elle a constitué une ouverture dans la recherche et la compréhension des modes de fonctionnement des groupes.
L'objectif de l'enquête était de déterminer s'il existait ou non des rapports entre les conditions matérielles et psychologiques de travail et le rendement des ouvriers. Au final de ces six années, l'enquête révéla statistiquement que les conditions psychologiques suivantes, bien plus que les conditions matérielles, sont déterminantes dans le niveau de réalisation des objectifs de rendement :
• motivation par rapport au travail ;
• facteurs relationnels ;
• esprit de corps et solidarité ;
• sentiments de sécurité et de liberté ;
• adhésion aux objectifs.

La sociologie de Moreno

J.-L. Moreno (1892-1974), psychosociologue américain d'origine roumaine, a constaté au fil de ses expériences en situation de groupe, que

celui-ci est un lieu où se développe des relations affinitaires d'un certain type, qu'il dénombre au nombre de trois :
• la sympathie ;
• l'antipathie ;
• l'indifférence.

La méthode d'analyse qui en a découlé, la sociométrie, a pour but, grâce à son questionnaire sociométrique, de faire apparaître la structure affinitaire d'un groupe.

Cette méthode se révèle utile lorsqu'il s'agit de constituer des équipes dont les membres doivent être solidaires (équipes sportives, commandos...).

Il est connu également comme le créateur du psychodrame. Il s'agit d'un jeu dramatique qui vise à permettre de prendre conscience de se libérer d'émotions trop fortes et limitantes qui peuvent entraver le bien-être et l'équilibre psychologique. Le but poursuivi consiste aussi à diminuer l'influence du carcan des rôles sociaux qui ont été imposés de l'extérieur. Il s'agit donc, dans la mesure du possible, de retrouver, par le jeu, la spontanéité. Pour faciliter l'expression, certains éléments techniques sont utilisés tel le renversement des rôles, les jeux en miroir, les doublages, etc.

Les apports de Lewin

En 1944, Kurt Lewin (1890-1947), psychosociologue allemand émigré aux États-Unis en 1934, crée et emploie l'expression « Dynamique des groupes » (« Group Dynamics ») si utilisée aujourd'hui.

Celle-ci rend compte à la fois de l'intérêt croissant manifesté par les chercheurs en Sciences Humaines (psychologues, sociologues, ethnologues, philosophes) par rapport à la vie des groupes mais aussi par l'ensemble des citoyens dont les conditions de vie en communauté ont tellement évolué au cours de ce siècle.

K. Lewin, dans sa démarche, identifie deux éléments essentiels inhérents à la situation de groupe.
• D'une part, celui-ci, influencé par l'école allemande de la Gestalt-théorie (théorie de la forme) montre que le sujet s'inscrit dans un « espace de vie ». Cet espace de vie, Lewin le nomme également « le champ » qui se définit comme étant l'environnement aussi bien matériel que psychologique qui entoure le sujet.
• D'autre part, il affirme que le tout, ou l'ensemble, est plus que la somme des parties et que celui-ci obéit à des lois spécifiques. Cela signifie

qu'un groupe n'est pas simplement une somme d'individus, mais un ensemble d'individus en interaction.

Finalement, l'expression « Dynamique des groupes » désigne, dès l'origine, à la fois :
* l'ensemble des lois qui régissent la vie des groupes ;
* et une approche méthodologique visant à résoudre certains conflits ou à favoriser le développement personnel et social grâce à la situation d'être en groupe.

Contribuer à la cohésion d'une équipe de travail

Les facteurs de la cohésion

> *« La valeur de l'équipe n'est pas fonction de l'addition*
> *des capacités individuelles, mais de leurs combinaisons*
> *dans une complémentarité active. »*
> R. CHAPPUIS

Une équipe n'existe et ne se donne à son travail que dans la mesure où elle présente une certaine cohésion.

En physique, la cohésion indique « la force qui unit les molécules d'un liquide ou d'un solide ».

Ainsi, appliquée à un groupe, la notion de cohésion renvoie aux facteurs qui maintiennent ensemble les membres d'un groupe et leur permettent de résister aux forces de désintégration.

Degré d'attraction du groupe

Le degré de cohésion dépend, pour les membres du groupe, du degré d'attraction de celui-ci. Cette « valeur attractive » est fonction de l'intérêt des personnes pour les activités du groupe et son mode d'organisation.

Cet intérêt est optimisé lorsque les éléments suivants sont clarifiés :
* les objectifs qui déterminent le sens de l'action menée ;
* les modalités de participation : rôles attribués à chacun, évolution de ces rôles ;

- l'organisation matérielle ;
- le style de leadership.

La situation d'être en groupe pose ainsi « le problème de l'humain » à savoir celui de l'expression de la sensibilité humaine et de ses difficultés relatives au degré de fragilité et de maturité de chacun face à autrui.

Lorsqu'une cohésion suffisante existe, le groupe devient ainsi un lieu de développement de la personne en ce sens qu'il peut permettre à chacun de mûrir en développant les capacités suivantes :
- aller vers les autres ;
- s'adapter aux modes de fonctionnement des autres ;
- savoir accepter les frustrations ;
- s'affirmer dans le respect de l'autre.

Il existe plusieurs éléments psychologiques qui sont sources de confiance relationnelle au sein d'un groupe :
- la satisfaction des besoins fondamentaux (besoin de sécurité, de reconnaissance, d'écoute, d'échange, d'appartenance, d'évolution) ;
- l'attrait d'un but collectif qui développe la motivation et l'initiative personnelle ;
- le développement d'affinités personnelles avec d'autres membres du groupe.

Les difficultés au sein d'une équipe ne sont dépassées que dans et par la cohésion.

Pour créer cette cohésion relationnelle, il s'agit de développer l'esprit de coopération. La rivalité étant le pire ennemi de la coopération et s'alimentant de la méfiance, il est indispensable de créer la confiance pour générer « l'esprit d'équipe ».

Intérêts particuliers et intérêts collectifs

Le fonctionnement des groupes dans la société occidentale moderne nous renvoie entre autres à la notion d'individualisme. L'individualisme, qui correspond à l'émancipation de l'individu à l'égard de la société, est à l'origine de l'émergence puis de l'expression des libertés individuelles.

En ce sens, il est un acte de découverte et de connaissance de soi et il permet de s'affranchir du poids des traditions et des conformismes.

L'individualisme est aujourd'hui une des valeurs principales de notre société. Il a, cependant, conduit à de nombreux excès relatifs à l'émergence d'un égoïsme étriqué conduisant à une méfiance des personnes les unes envers les autres, véritable mal de société.

Au sein d'un groupe, l'individu est donc confronté à la difficulté d'harmoniser intérêts particuliers et intérêts collectifs.

Se mettre à plusieurs pour atteindre en commun un même objectif, c'est renoncer à un certain degré de liberté, c'est accepter de coopérer, d'appliquer une stratégie commune, de coordonner ses efforts.

Cela peut donc être vécu par certaines personnes comme antinomiques par rapport à leurs intérêts personnels.

Chacun a alors la responsabilité de s'interroger sur ses motivations à travailler en groupe, sur son style préférentiel d'implication professionnelle, et sur les raisons de ses échecs à travailler en équipe jusque-là.

Synthèse des facteurs de la cohésion

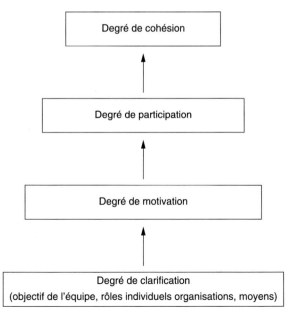

Optimiser les temps de réunion

Dans le travail en équipe, les temps consacrés aux réunions doivent être optimisés. Une équipe bien rodée sait utiliser les réunions pour :
– informer ;
– faire le point sur les objectifs
– prendre des décisions ;
– produire des solutions nouvelles.

Pour être efficace, une réunion doit être :
– annoncée (lieu, date, horaires, objectif) ;
– préparée par chacun ;
– être animée par une seule personne ;
– formalisée ultérieurement.

Idéalement, la synthèse écrite est à réaliser par une autre personne, distincte de l'animateur, et ne s'impliquant pas pendant la réunion.

Le rôle de l'animateur est essentiel car c'est lui qui :
– stimule l'implication des personnes réunies ;
– reformule l'important ;
– recentre sur l'objectif en cas de dispersion ;
– gère le temps ;
– distribue la parole équitablement ;
– régule le groupe ;
– stimule la production d'idées.
– aide à la prise de décision.

Optimiser la délégation

« On peut déléguer l'autorité, jamais la responsabilité. »
STEPHEN COMISKEY

Déléguer c'est confier une tâche ou un objectif à un collaborateur, relevant également de sa compétence, d'un commun accord entre les intéressés, pendant un temps déterminé, tout en en gardant la responsabilité devant son supérieur hiérarchique.

Ce que nous pouvons déléguer

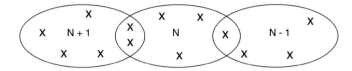

N = Personne et Statut ; X = Travail à effectuer

Il est nécessaire de :

- bien choisir son collaborateur ;
- ne pas imposer la délégation. Toujours expliquer et négocier les conditions de réalisation (critères de choix, durée, objectif, intérêt) ;
- la délégation est ainsi le fruit d'une négociation ; elle est fondée sur un esprit d'engagement, de respect de l'autre et de rigueur.

Le leadership et la conduite des groupes

Exercer le pouvoir : le grand défi !

En communication, quoi que l'on fasse ou que l'on ne fasse pas et quoi que l'on dise ou que l'on ne dise pas, on signifie toujours quelque chose à son interlocuteur.

C'est en cela que l'on peut affirmer que toute communication a un impact. Toute communication est naturellement un processus d'influence. Autrement dit, on ne peut pas ne pas influencer.

C'est pourquoi l'exercice de l'influence pose clairement le problème de la relation de chacun au pouvoir.

« Pouvoir » signifie « être capable de, avoir la faculté, la possibilité de faire quelque chose, d'accomplir une action, de produire un effet. Ce terme signale également l'autorité, la puissance, de droit ou de fait, détenue sur quelqu'un, quelque chose. Au niveau individuel, c'est la faculté qui permet de s'affirmer, d'avoir une influence sur soi et l'environnement ».

Cette définition montre clairement que le pouvoir est une faculté inhérente à la condition d'être. Exister, c'est très concrètement avoir du pouvoir.

L'individu sait intuitivement qu'il a du pouvoir et il peut être tenté de l'utiliser pour « imposer sa loi » ou manipuler autrui à des fins égoïstes.

Si notre seul désir est d'imposer notre point de vue et nos actions sans considération à l'égard de la situation et de la position d'autrui, il est certain que nous nous exposons, à plus ou moins long terme, au rejet, à l'hostilité et à l'indifférence de la part des autres.

Le fait de réagir, de se révolter contre ces agressions extérieures (malgré nos résistances à le faire parfois par manque de confiance en soi et peur d'être jugé ou rejeté) témoigne de l'existence de notre identité et de notre sensibilité propres.

L'existence du pouvoir se révèle donc dans toute sa force dans la relation à autrui.

L'exercice intègre de celui-ci est nécessairement le fruit d'un travail sur soi qui a permis la découverte de ses aspirations profondes, aboutissant à une conscience dans l'action.

Ce travail permet une maturation de notre sensibilité source de croissance et d'épanouissement de soi.

Les personnes qui, dans les institutions ou les entreprises détiennent une autorité, n'ont ainsi pas seulement la responsabilité d'un savoir et d'un savoir-faire mais également d'un savoir-être.

Ce savoir-être repose sur la faculté à créer des relations de confiance avec ses interlocuteurs, signes de la confiance intérieure que le responsable a dans sa capacité à assumer son rôle d'autorité et de leadership. Cette confiance intérieure qui se dégage de la personne responsable sécurise les personnes qui travaillent avec elle.

Exercer le pouvoir repose sur une dimension intérieure et extérieure. La dimension intérieure concerne les motivations psychologiques à exercer un pouvoir et la dimension extérieure l'acte de communication lui-même.

Définition du leadership

Le leader est la personne apte à conduire l'équipe vers ses objectifs en maintenant la cohésion de celle-ci.

Le leader peut être considéré comme celui qui a de l'influence sur les autres au point de leur donner envie de le suivre.

Le leader c'est « l'homme/la femme de la situation » en quelque sorte.

Tout individu se retrouvant en position de leader doit donc justifier celle-ci, s'il veut être accepté, par de réelles compétences à la fois de savoir, de savoir-faire et de savoir-être.

Il est reconnu généralement au manager une capacité de gestion qui n'est pas attribuée naturellement au leader. C'est une différence que l'on peut faire entre le leader et le manager.

Typologie des pouvoirs et des autorités

Le type de pouvoir possédé par le leader influe directement sur le type d'autorité qu'il peut exercer. Ainsi :

- Un pouvoir de droit a pour origine un statut : un médecin, un avocat, un ingénieur, un amiral...

Ce type de pouvoir entraîne une autorité qualifiée de légitime dans le sens où elle est validée par les institutions de la société. un pouvoir de fait s'appuie sur un savoir et un savoir-faire de nature intellectuelle et/ou technique acquis au fil de l'expérience. Ce pouvoir engendre une autorité de compétence.

- Un pouvoir de communication s'appuie sur un savoir-être et permet l'exercice d'une autorité charismatique.

Origines de l'autorité

Le rapport de chacun à l'autorité trouve son origine dans la petite enfance et continue à se forger par la suite dans nos relations à autrui.

Le besoin d'amour et de reconnaissance innés à chaque être humain, la peur du rejet, la crainte de la punition ou le désir de récompense établissent nos réflexes d'obéissance, de soumission et de révolte.

Ainsi, par l'exercice de son autorité, un leader réactive des expériences inscrites dans notre mémoire individuelle qui déclenchent des sentiments et des comportements précis plus ou moins positifs.

Exercice efficace de l'autorité

Chaque type d'autorité exercée a un impact différent dans une équipe.

Ainsi, le pouvoir du leader peut être une entrave à la communication, à la coopération des membres de l'équipe si l'exercice de son autorité ne s'appuie notamment que sur son statut (« pouvoir de droit »). Posséder un statut n'est pas une condition suffisante pour exercer une autorité acceptée et reconnue par tous. On peut posséder un statut officiel et baser l'exercice de son autorité sur la crainte.

Les exercices de l'autorité de compétence et de l'autorité charismatique sont donc indispensables pour remplir les fonctions du leader attendues par l'équipe.

L'autorité la plus porteuse d'efficacité est alors une combinaison des trois types d'autorité. Un leader capable de mettre en avant son savoir, son savoir-faire et son savoir-être obtient bien plus de cohésion et d'efficacité de son équipe.

Aujourd'hui, dans la plupart des organisations des pays démocratiques, l'autorité d'un leader dépend largement de la confiance qu'il sait inspirer aux autres. Ceux-ci n'adhèrent, ne participent et n'agissent que par cette confiance.

Le leader est finalement celui qui favorise l'initiative des membres du groupe qu'il dirige et qui est capable de considération et d'attention envers les personnes de l'équipe.

Dans une équipe, le chef est moins celui qui commande et impose que celui qui fait converger et coordonner les idées et les actions de tous les membres.

Il n'existe pas de leader inné. Que ce soit un pouvoir de droit, de fait ou de communication, il est le fruit d'une formation (études initiales ou formation continue), d'une expérience ou de qualités humaines s'appuyant sur un véritable travail sur soi : connaissance de ses motivations, valeurs, limites, impact de son style de communication.

Nécessité d'un leader

Lorsqu'un groupe-équipe ressent le besoin de s'organiser pour réussir ses missions, le besoin d'un leadership apparaît.

Autrement dit, le besoin d'un leader apparaît dès qu'il y a conscience d'une action commune à réaliser. Le leader permet au groupe d'exister.

Il incarne l'unité et symbolise l'existence continue du groupe-équipe.

Fonctions du leader

Ce qu'une équipe attend généralement d'un leader intéresse aussi bien la gestion des besoins d'organisation que des besoins de communication :
• coordonner les activités du groupe ;
• maintenir les conditions matérielles et morales qui permettent la réalisation de l'objectif de l'équipe ;
• mobiliser les ressources humaines et économiques ;
• faire circuler l'information ;
• maintenir et encourager la participation ;
• pouvoir de sanction ;
• représenter le groupe à l'intérieur et à l'extérieur.

La position du leader l'investit aussitôt d'un pouvoir, lié à la parole et au savoir qu'il détient. L'attitude de celui-ci par rapport à ce pouvoir, est tout à fait importante.

En effet, soit le leader considère que seule sa parole compte et se place sur un piédestal et confère alors aux membres du groupe un statut d'infériorité. Cela conduit à terme par développer des réactions d'hostilité dont l'issue est souvent la déstructuration du groupe.

Soit il « abandonne » ce pouvoir, en se mettant à la portée de son équipe, en leur demandant d'intervenir, de manifester leur présence, pour entrer dans un échange qui permet à l'équipe dont il a la responsabilité, d'exprimer ce qu'il vit et pense, de contester ou d'approuver, créant ainsi un climat de liberté et de respect mutuel.

Cela n'empêche pas le leader de prendre des décisions et de trancher. Cela se fait néanmoins après avoir pris le temps de consulter les personnes concernées par la décision.

Qualités du leader

Le véritable leader est une personne ayant intégré des qualités qui permettent la cohérence et la portée positive de ses décisions et de ses actions au sein de son équipe.

Ces qualités sont les suivantes :
• Le leader a identifié ses valeurs personnelles et professionnelles sur lesquelles il fonde son éthique (sens de l'engagement).
• Le leader a réalisé un travail sur soi qui a affiné sa perception et sa compréhension de ses comportements et de ceux d'autrui.
• Le leader est capable de coacher les membres de son équipe. Il n'est pas seulement un conseiller, un superviseur ou un évaluateur, il est capable de motiver les personnes à partir de leurs propres aspirations et de les aider à croire et à exprimer leur potentiel.

Par ce travail sur lui-même, le leader est plus conscient des processus en jeu dans toute communication humaine (interprétations, motivations inconscientes, relations à l'autorité, maturité affective),

Le leader sait s'adapter à ses interlocuteurs, susciter la confiance, influencer avec intégrité.

Le leader est visionnaire :
• en travaillant sur lui, il a pris confiance en ses capacités, il a libéré sa créativité naturelle et est capable de se projeter, lui et son équipe, à long terme ;
• il sait que cette vision, cette perception de l'avenir n'est pas l'élaboration d'une réalité toute tracée, mais un cap à tenir.

Ces qualités unies forment pour le leader son style personnel de leadership qui se manifeste par un dosage particulier des différents types d'autorité.

Trois grandes conditions doivent être réunies pour permettre l'efficacité du leader. Le meilleur leader est celui qui est :
• reconnu comme tel et estimé pour ses compétences (savoir et savoir-faire) et ses qualités humaines (capacité à gérer humainement un groupe : savoir-être) ;
• capable d'adopter selon les circonstances une attitude directive, en réunion par exemple (recentrer sur les objectifs à atteindre), et non directive au quotidien (susciter la créativité) ;
• capable d'une influence directe (montrer l'exemple en mettant « la main à la pâte ») ce qui permet d'accélérer le rendement de l'équipe, et indirecte (coordonne, informe, fait participer) ce qui permet l'amélioration du climat d'équipe.

Apprivoiser le changement dans les organisations

« Le progrès est impossible sans changement, et ceux qui ne peuvent jamais changer d'avis ne peuvent ni changer le monde ni se changer eux-mêmes. »
GEORGE BERNARD SHAW

Problématique des changements dans un groupe

Dans son parcours, s'il veut évoluer, un groupe doit assumer certaines situations, accepter certaines frustrations, franchir des étapes, résoudre des conflits.

Tous ces moments, inhérents à la vie de groupe, sont des moments de changement : changements de repères, d'habitudes, de modèles.

La façon dont ils sont négociés est essentielle quant à la qualité de la cohésion à venir.

Ces phases ou périodes de changement induisent des réactions ambivalentes de la part des membres d'un groupe :

– d'une part, des approbations manifestées envers le changement ;
– d'autre part, des résistances exprimées envers le changement.

Origine des réactions face au changement

Le changement peut être défini comme le passage d'un état à un autre soulevant des problèmes d'ordre pratique et/ou psychologique.

En effet, tout individu, dans sa vie quotidienne, est dépendant d'un ensemble d'habitudes relatif à ses activités alimentaires, vestimentaires, professionnelles, familiales...

Ces habitudes constituent des repères procurant un sentiment de sécurité même lorsqu'elles ne sont pas vécues comme satisfaisantes.

Or, l'être humain, comme l'indiquent aujourd'hui les recherches sur les mécanismes du stress, a une tendance naturelle à l'« homéostasie », tant sur le plan physiologique que psychologique, ce qui se manifeste par une volonté de maintenir ses repères, de préserver ses habitudes.

Toute tentative ou initiative de changement apparaît donc comme ne pouvant qu'être contrariée par des résistances, plus ou moins fortes à celui-ci. Le changement s'apparente alors à un véritable saut vers l'inconnu qui peut sembler bien risqué pour certaines personnes à un moment donné. Une résistance est donc l'expression du non-désir de changer l'état actuel.

Expressions des résistances au changement dans un groupe

Dans un groupe, l'une des principales sources de la résistance au changement est la crainte de s'écarter des normes de fonctionnement du groupe.

Les résistances peuvent alors s'exprimer de façons multiples :
– soit de façon directe par l'expression explicite de son désaccord (de manière plutôt calme ou plutôt agressive) ;
– soit de façon indirecte, par manque d'action et d'initiative, rétention et manipulation de l'information, élaboration de rumeurs.

• Sens du changement

Lorsque, dans un groupe, certaines personnes sont d'emblée ou rapidement en accord avec le changement proposé, c'est qu'elles y voient ce
qu'il peut leur apporter. Cette adhésion est facilitée lorsque la nature et
les modalités du changement sont expliquées.

L'adhésion au changement est avant tout le fruit d'une explication. En effet,
de nombreuses résistances au changement se développent lorsque
celui-ci est imposé de l'extérieur et présenté de façon impérative. Cette
façon d'agir va à l'encontre du besoin naturel de liberté des personnes.

En conséquence, un temps doit être consacré à l'explication, au sens, aux
perspectives et apports des changements pour chacun. Il s'agit de créer une
participation, aboutissant parfois à l'évolution des termes du changement proposé initialement (« redéfinition du changement »), jusqu'à susciter finalement
une adhésion, de la part de la majorité des membres du groupe.

Le but est donc plutôt de diminuer les résistances au changement que de
vouloir imposer le changement. Comme le dit Christopher Bartlett : « On
ne peut forcer une personne à changer, il suffit de créer un contexte qui
donnera le goût à ce dernier de changer volontairement. »

• Résistances à l'innovation

« Notre façon de penser crée des problèmes que la même façon de penser
ne pourra pas résoudre. »
A. EINSTEIN

Les discours sont parfois emplis de petites phrases, en apparence ano-
dines, qui témoignent d'une réticence à l'innovation, à la nouveauté. En
voici quelques-unes qui, lorsqu'elles sont répétées fréquemment, révèlent
une résistance au changement :
• Je n'ai pas le temps.
• Ça ne me concerne pas.
• C'est très bien en théorie, mais en pratique ça ne marchera pas.
• C'est trop compliqué.
• Ça ne m'intéresse pas.
• C'est risqué.
• Ce n'est pas prévu.

- Mon chef ne sera pas d'accord.
- Ça ne s'est jamais fait.
- C'est idiot !
- Ça va remettre trop de choses en cause.
- Je connais mes gens, avec eux ça ne passera pas.
- Ça va coûter trop cher.
- C'est un gadget.
- On verra plus tard.
- Il faudra que j'y réfléchisse un de ces jours.
- Ce n'est pas le style de la maison.
- Je n'ai jamais entendu parler de cela.
- Il faudra mettre tout cela par écrit.
- On a déjà essayé.
- Ce n'est pas le moment.
- Ce n'est pas moi qui décide.
- Chez nous, c'est particulier.
- Les gens ne sont pas mûrs.
- Je suis sceptique.
- Ce n'est pas dans les procédures habituelles.
- Ce n'est pas pratique.
- Ça ne changera rien du tout.
- J'ai trop de travail.
- Les syndicats seront contre.
- Je connais mon métier.
- Je n'ai pas envie d'être pris pour un farfelu.
- Il ne faut pas aller trop vite.
- S'il s'agit de remettre en cause ce que j'ai fait jusqu'à présent, alors à quoi ai-je été utile ?
- Oui mais...

Mon expérience de consultant me porte à constater malheureusement que les dirigeants et les managers sont peu enclins à remettre en question leur style de communication. Voilà ce que j'entends régulièrement :
- Je communique bien assez comme ça.
- C'est difficile de communiquer avec des gens négatifs/peu engagés.
- Je ne vois pas pourquoi je remettrai en cause ma communication avec mon équipe.
- Ce n'est pas moi qui communique mal, c'est mon supérieur.
- Je ne me sens pas concerné par cette remarque.

Exercer un leadership demande une grande capacité de remise en question. Celle-ci permet de « se voir aller », de prendre du recul par rapport à soi-même, de mesurer son impact sur autrui, de développer sa flexibilité comportementale en élargissant sa gamme de comportement et sa capacité à s'adapter à des situations diverses. Sans ces qualités, il est périlleux d'exercer une autorité.

Si les leaders ne savent pas se remettre en cause, ce sont les autres qui les remettront en question. Un leader efficace est une personne qui est devenue un communicateur efficace grâce à son travail sur lui-même.

L'esprit de la négociation

> « On peut convaincre les autres par ses propres raisons,
> mais on ne les persuade que par les leurs. »
> JOUBERT

Selon la culture des organisations, la négociation peut être :
• initiée systématiquement lorsqu'un changement important, de nature organisationnelle, sociale ou structurelle est nécessaire ;
• ou engagée seulement au seuil de rupture entre les différentes équipes, les différents niveaux hiérarchiques ou les partenaires sociaux.

Il est évident que plus la négociation est intégrée à la dynamique de l'organisation et s'affirme comme un état d'esprit et non comme une contrainte, plus l'organisation évite la dérive dramatique vers des conflits internes qui laissent des traces dans la mémoire collective de celle-ci.

La négociation implique des situations de face à face entre les différentes parties concernées par le changement.

Chacune des parties met en avant généralement un leader de négociation représentant l'équipe ou un groupe spécifique.

Chaque leader est amené à présenter ses positions par rapport à la situation qui fait l'objet des négociations.

Ainsi, émergent nécessairement les points de divergence et les points d'accord entre les partenaires de la négociation.

La négociation est une démarche où il s'agit de mettre à plat devant chaque partie concernée ses positions.

La négociation est alors un espace de parole où les différences sont non seulement exprimées, mais aussi dépassées :
• dans un premier temps par la prise de position de chacun ;
• dans un deuxième temps par l'assouplissement de ses positions dans le but d'arriver à un accord commun.

Le but de la négociation est donc de concilier les positions.

L'obligation de parole (expression des désaccords, prise de position et assouplissement des positions) devant les autres partenaires concernés donne sa force à la négociation.

Négocier c'est comme « jouer carte sur table » en fonction de ce qu'amène les autres, au lieu de « jouer sous la table » ou encore de « jouer dans son coin ».

En parvenant à un consensus validé par tous, la négociation permet d'avancer ensemble et non séparément ce qui doit être la démarche préférentielle d'une organisation si elle veut éviter d'entrer dans une spirale conflictuelle chronique.

 Une démarche de négociation

Savoir négocier suppose d'être capable de :
1 – Déterminer la nature du désaccord :
    • de nature relationnelle, matérielle, financière, idéologique...
2 – Ouvrir le dialogue :
    • expliquer les conséquences possibles du désaccord à terme ;
    • éviter les attaques verbales.
3 – Écouter et comprendre le point de vue de l'autre partie :
    • pratiquer l'écoute active ;
    • éviter d'exprimer ses exigences ou de se défendre ;
    • s'efforcer de clarifier le sens des résistances.
4 – Trouver une solution acceptable pour tous au problème :
    • décider ensemble des solutions possibles et des points d'accord ;
    • prévoir la mise en pratique ;
    • prévoir le suivi.

LES POINTS CLÉS

- Un groupe est un ensemble d'individus réunis dans un cadre formel ou informel dans un but avoué de production ou d'apprentissage, de découvertes, de formation.

- Un groupe s'organise autour de plusieurs dimensions qui sont plus ou moins développées selon les groupes : les dimensions historique, organisationnelle, relationnelle et psychologique.

- Un groupe n'est pas statique. Il évolue en passant par différentes phases de développement. Dans son parcours, s'il veut évoluer, un groupe doit donc assumer certaines situations, accepter certaines frustrations, franchir des étapes, résoudre des conflits.

- Une équipe n'existe et ne se donne à son travail que dans la mesure où elle présente une certaine cohésion.

- Exercer le pouvoir repose sur une dimension intérieure et extérieure. La dimension intérieure concerne les motivations psychologiques et la dimension extérieure l'acte de communication lui-même.

- Le leader est la personne apte à conduire l'équipe vers ses objectifs en maintenant la cohésion de celle-ci. Le leader peut être considéré comme celui qui a de l'influence sur les autres au point de leur donner envie de le suivre.

- Une résistance est l'expression du non-désir de changer l'état actuel.

- Lorsque, dans un groupe, certaines personnes sont d'emblée ou rapidement en accord avec le changement proposé, c'est qu'elles y voient ce qu'il peut leur apporter.

- Exercer un leadership demande une grande capacité de remise en question.

- La négociation est un espace de parole où les différences sont non seulement exprimées, mais aussi dépassées.

Conclusion

Comme le dit un proverbe persan : « Toutes les choses sont difficiles avant de devenir faciles. » Il en va ainsi de la communication me semble-t-il.

Si, comme le montre ce livre, la communication est une disposition naturelle des êtres humains, elle reste un défi. Un défi composé de nombreuses facettes : apprendre à mieux se connaître, à reconnaître et à dépasser ses peurs, à développer sa flexibilité comportementale pour se donner plus de choix, à renforcer la confiance en soi et l'estime de soi pour répondre le mieux possible à des situations de plus en plus diversifiées, à se remettre authentiquement en question, à s'affirmer dans le respect de l'autre et à pouvoir travailler en équipe pour avancer vers des buts communs.

Les connaissances acquises depuis plusieurs décennies sur le phénomène « communication » révèlent de toute évidence une vérité qui s'impose aux esprits éclairés : « La façon dont nous communiquons détermine ce que nous obtenons dans la vie. »

La communication est le fruit de la vie et le cœur de notre existence.

Communiquer n'est pas une option, c'est une réalité quotidienne à laquelle nous pouvons choisir de faire face de bien des manières différentes. La façon dont nous orientons notre communication donne du sens à ce que nous vivons ou, au contraire, nous met en difficulté. Les résultats de ces choix deviennent notre liberté ou notre prison.

En consacrant du temps à cultiver ce talent naturel, nous pouvons récolter plusieurs bénéfices qui donnent du sens à notre présence dans le monde : révéler notre personnalité et notre sensibilité uniques, réaliser notre potentiel, apprendre à s'accepter en tant qu'être vulnérable ayant le droit à l'erreur, affronter avec courage et authenticité l'inertie et l'indifférence que l'on peut rencontrer en soi et à l'extérieur de soi et finalement devenir ouvert et flexible pour pouvoir satisfaire nos besoins légitimes de sécurité et de liberté dans nos relations à autrui.

Bibliographie

Bandler (R.) et Grinder (J.), *Les secrets de la communication*, Jour, 1998.

Bateson (G.), *Vers une écologie de l'esprit*, Seuil (Points), 1995.

Bellenger (L.), *La confiance en soi*, ESF Éditeur, 2004.

Bidot (N.) et Morat (B.), *S'entraîner à la PNL au quotidien*, Interéditions, 2006.

Boudineau (D.) et Catona (N.), *Manager avec la PNL*, Éditions d'Organisation, 2006.

Bouillerce (B.) et Carré (E.), *Savoir développer sa créativité*, Retz, 2000.

Cayrol (A.) et De Saint-Paul (J.), *Derrière la magie : la PNL*, Interéditions, 1984.

Cyrulnik (B.), *Les nourritures affectives*, Odile Jacob, 1993.

De Rosnay (J.), *Le macroscope*, Seuil (Points), 1974.

De Shazer (S.), *Les mots étaient à l'origine magiques*, Satas, 1999.

Dilts (R.), Hallbom (T.) et Smith (S.), *Croyances et santé*, Desclée de Brouwer, 1994.

Dilts (R.) et Epstein (T. A.), *Dynamic Learning*, Meta Publications, 1995.

Donnadieu (G.) et Karsky (M.), *La systémique, penser et agir dans la complexité*, Liaisons, 2002.

Haley (J.), *Milton Erickson : un thérapeute hors du commun*, Desclée de Brouwer, 2003.

Kourilsky-Belliard (F.), *Du désir au plaisir de changer*, Dunod, 2004.

Goffman (E.), *Les rites d'interaction*, Les Éditions de Minuit, 1974.

Laborde (G.), *Influencer avec intégrité*, Interéditions, 1987.

Lebon (V.), *L'essentiel : l'estime de soi*, Les éditions Québécor, 2006.

Longin (P.), *Agir en leader avec la PNL*, Dunod, 2006.

Malarewicz (J.-A.), *Réussir un coaching*, Village mondial, 2003.

Malarewicz (J.-A.), *Systémique et entreprise*, Village mondial, 2003.

Marc (E.) et Picard (D.), *L'école de Palo Alto*, Retz, 2006.

Maslow (A. H.), « A theory of human motivation », *Psychological Review*, vol. 50, n° 4, 1943, p. 370-396.

Monbourquette (J.), Ladouceur (M.) et D'Aspremont, *Stratégies pour développer l'estime de soi et l'estime du Soi, Bayard, 2003.*

Poscente (V.), *La fourmi et l'éléphant*, Go To Shape, 2006.

Reps (P.), *Le zen en chair et en os*, Albin Michel, 1998.

Rogers (C. R.), *Le développement de la personne*, Dunod, 1983.

Rosenthal (R. A.) et Jacobson L., *Pygmalion à l'école*, Casterman, 1971.

Saint-Exupéry (A.) de, *Le Petit Prince*, Harcourt Trade Publishers, 2001.

Shah (I.), *Les plaisanteries de l'incroyable Mulla Nasrudin*, Le courrier du livre, 2005.

Shannon (C. E.) et Weaver (W.), *The mathematical theory of communication*, Scholarly Book Services Inc, 2002.

Turchet (P.), *La synergologie*, Éditions de l'Homme, 2000.

Watzlawick (P.), *La réalité de la réalité*, Seuil (Points), 1975.

Watzlawick (P.), *Comment réussir à échouer*, Seuil (Points), 1991.

Watzlawick (P.), Beavin (J. H.) et Jackson (D.), *Une logique de la communication*, Seuil (Points), 1979.

Wiener (N.), *Cybernetics*, The MIT Press, 1965.

Winkin (Y.), *La nouvelle communication*, Seuil (Points), 2000.

Yatchinovsky (A.), *L'approche systémique*, ESF, 2004.

Glossaire

Ancre

Les ancres sont des mouvements, des gestes, des paroles ou des sons associés à un état interne (émotion). Chaque fois que l'on répète le mouvement, le geste, la parole ou le son, l'état interne est immédiatement ressenti car ils sont désormais reliés dans notre cerveau. L'ancrage est donc une technique (créer une ancre) pour se placer volontairement dans un état intérieur qui permet d'optimiser nos chances d'atteindre un objectif souhaité.

Approche systémique

Elle considère les faits et les personnes comme parties intégrantes d'un ensemble. Aucun évènement n'est isolé et tout est relié d'une manière ou d'une autre. L'approche systémique se centre en premier lieu sur les interactions qui existent dans un système. Un système est donc défini comme un ensemble d'éléments liés entre eux par des interactions. C'est une approche qui se révèle efficace pour gérer la complexité.

Besoins fondamentaux

Le terme « besoin » indique l'existence d'une tendance naturelle de l'être à vouloir satisfaire quelque chose. Il évoque l'idée d'une recherche qui a pour but conduire à cette satisfaction. Il révèle finalement l'existence d'un manque à combler.

Les besoins fondamentaux fonctionnent comme des fonctions vitales. On peut les considérer comme des tremplins qui nous portent à l'action. Une des fonctions de la communication est de satisfaire nos besoins. Les besoins de base sont les besoins physiologiques, de sécurité et de protection puis les besoins supérieurs sont les besoins d'amour, de reconnaissance, d'appartenance, de liberté, d'estime et d'accomplissement personnel.

Cohésion

Appliquée à un groupe, la notion de cohésion renvoie aux facteurs qui maintiennent ensemble les membres d'un groupe et leur permettent de résister aux forces de désintégration.

Congruence

La congruence se définit comme l'accord entre notre expression verbale et non verbale. Cela signifie que notre communication est congruente lorsque nos expressions verbale et non verbale sont en phase l'une avec l'autre. Le décalage entre les deux est donc la preuve d'un manque de congruence.

Contexte

Le « contexte » n'est pas un simple décor. C'est un cadre symbolique qui est porteur de normes, de règles et de rituels d'interaction. Il influence le rapport qui relie les interlocuteurs. Il doit donc être compris au sens large. Il se réfère à l'âge, au sexe, au statut social, aux normes et règles, au rapport des individus entre eux, aux rituels d'interaction.

Distorsion

Le processus de distorsion concerne notre capacité à transformer notre perception de la réalité. C'est à la fois un processus d'interprétation et de création.

Double contrainte

L'expression « double contrainte », (désignée originalement comme *double bind* - « double lien » -), qui découle de notions mises en évidence par les théories de la communication et par la cybernétique, est une notion centrale de la théorie systémique. Elle fut mise en évidence en 1956 par une équipe dirigée par Gregory Bateson. La double contrainte peut être définie comme une impasse qui existe lorsque la communication est formée de deux éléments contradictoires qu'il n'est pas possible de concilier. Cela place alors la personne qui reçoit ce message dans l'impossibilité d'y répondre de manière satisfaisante. Un simple message comme « Sois spontané » est une double contrainte ; en effet, soit cette personne suit ce conseil et du coup elle n'est plus vraiment spontanée puisqu'elle n'a fait qu'obéir à un conseil, soit elle désobéit à ce conseil en ne le suivant pas, et dans ce cas, elle n'a également pas pu faire preuve de spontanéité.

École de Palo Alto

Palo Alto est une ville située dans la banlieue sud de San Francisco. En psychologie et psycho-sociologie, l'École de Palo Alto est un courant de pensée et de recherche ayant pris racine à partir de 1950. L'une des grandes forces de l'École de Palo Alto fut ce que l'on a appelé le *collège invisible*. En effet, constituée de personnes venant d'horizons différents, tels que Gregory Bateson, compagnon de Margaret Mead, Paul Watzlawick, Don Jackson, Jay Haley, Edward T. Hall et Erving Goffman, l'École de Palo Alto s'est développée de manière totalement informelle, ce qui a permis de constituer un terrain fertile à des découvertes fructueuses dans les domaines de la communication et du changement considérées comme essentielles aujourd'hui (double contrainte, relations symétrique et complémentaire, les différents types de changement...).

Écologie

Ce terme réfère à la cohérence interne de la personne qui poursuit un objectif (écologie interne) ainsi qu'à la cohérence du système dans lequel elle s'insère (écologie externe), tels que le service dans lequel elle travaille, un club sportif ou sa famille.

« Cohérence » réfère à tout ce qui constitue l'équilibre actuel de la personne ou du système : objectifs, croyances et valeurs, ressources exploitées et non exploitées, stratégies opérationnelles, comportements, environnement actuel.

Empathie

C'est la capacité de « se mettre dans les souliers de l'autre » pour pouvoir découvrir et comprendre sa logique et ses émotions, sans pour autant se laisser envahir par celles-ci.

Empreinte

Marque affective gravée dans la mémoire liée à un évènement spécifique heureux ou malheureux.

Généralisation

La généralisation consiste à transférer ce que nous avons appris à un moment donné dans une situation particulière à d'autres situations similaires rencontrées par après.

Homéostasie

Tendance des organismes vivants à maintenir constants leurs paramètres biologiques face aux modifications du milieu extérieur.

Intention positive

Un des éléments qui expliquent la cohérence de tout comportement humain est l'intention positive. L'intention positive est la motivation profonde ou le critère que nous tentons de satisfaire en adoptant tel comportement. Lorsqu'un non-fumeur demande à un fumeur : « Pourquoi fumes-tu ? », ce dernier peut lui répondre : « Ça me détend » ou « Ça me permet de gérer mon stress » ou « Ça me permet d'avoir une contenance ». C'est donc ce qui donne du sens au fait de fumer. Même si la façon dont nous avons appris à répondre à nos intentions positives n'est pas toujours satisfaisante pour nous-mêmes et pour les autres, il est possible d'évoluer et de trouver une meilleure façon de satisfaire nos intentions positives.

Leader

Le leader est la personne apte à conduire un groupe vers ses objectifs en maintenant la cohésion de celle-ci. Le leader peut être considéré comme celui qui a de l'influence sur les autres au point de leur donner envie de le suivre.

Le leader c'est « l'homme/la femme de la situation » en quelque sorte. Tout individu se retrouvant en position de leader doit donc justifier celle-ci, s'il veut être accepté, par de réelles compétences à la fois de savoir, de savoir-faire et de savoir-être.

Loi de la variété requise

Découverte et décrite par Ross Ashby, en 1956, cette loi dit que « dans un système, c'est toujours l'élément le plus flexible qui finit par orienter et diriger ce système ». L'élément flexible est celui qui possède la variété requise pour répondre à la situation ou aux objectifs, comparé aux éléments qui manquent de variété requise. Il a donc une capacité d'adaptation plus élevée. Il peut donc mieux répondre aux souhaits, aux demandes, aux imprévus ou à l'évolution du contexte. Autrement dit, plus on a de choix mieux ça vaut pour faire face à la diversité et à la complexité des situations à gérer.

Métacommunication

La métacommunication est la communication sur la communication en cours, c'est-à-dire le type d'orientation, de pertinence et de valeur de cette communication. Métacommuniquer c'est donc communiquer sur la communication. La métacommunication indique et signifie la sorte de relation qu'entretiennent les protagonistes. Souvent, la métacommunication est un langage « analogique » de gestes, postures et mouvements corporels. D'ailleurs, l'impossibilité de métacommuniquer conduit à des situations souvent douloureuses, voire dramatiques. Par ailleurs, la métacommunication peut devenir un outil utilisé consciemment par un intervenant, un vendeur, un chef d'équipe, un coach, un(e) conjoint(e) pour clarifier les objectifs et les intentions de son/ses interlocuteurs et/ou rétablir une harmonie, une entente dans la relation.

Niveaux logiques

Ce sont les niveaux suivants : l'environnement, les comportements, les capacités, les croyances, l'identité et la spiritualité. Ce sont des niveaux reliés les uns aux autres et qui s'interinfluencent constamment. Ces niveaux sont appelés « logiques » car ils sont naturellement hiérarchisés. Ils concernent directement nos processus d'apprentissage, de changement et de communication. « L'alignement de nos niveaux logiques », c'est-à-dire la cohérence entre eux permet de renforcer la motivation et crée une communication congruente.

Paradigme

Un paradigme est une représentation du monde, une manière de voir les choses, un modèle cohérent de vision du monde. C'est un cadre de référence qui oriente les façons d'être et d'agir des personnes comme des organisations.

Parrainage

L'objectif du parrainage est de donner confiance à son interlocuteur pour lui permettre d'exprimer plus pleinement ses qualités et son potentiel. Le parrainage se réalise à travers l'expression envers autrui des métamessages suivants : « Vous existez à mes yeux. » « Je vous vois et vous reconnais. » « Vous avez de la valeur. » « Vous êtes important/spécial/unique. » « Vous avez quelque chose d'important à apporter. » « Vous êtes bienvenu ici. » « Vous êtes à votre place. »

PNL

Programmation Neuro Linguistique. Approche de la communication et du changement née dans les années 1970. « Programmation » réfère à la façon dont nous intégrons nos expériences et aux schémas de référence qui en découle. « Neuro » à la façon dont nos expériences sont codées dans notre mémoire. « Linguistique » au langage verbal et non verbal qui révèle la façon dont nous sommes « programmés ».

Programme

C'est un schéma de référence établi à partir d'un apprentissage qui est composé de croyances, de stratégies et d'états internes qui détermine des comportements spécifiques.

Recadrage

Selon Paul Watzlawick, le recadrage est une « intervention qui consiste à changer la réponse interne d'une personne devant un comportement ou une situation en modifiant le sens qu'elle lui accorde ». « Recadrer » consiste ainsi à permettre à notre interlocuteur d'envisager les choses sous un autre angle. Cette mise en perspective « élargit le cadre » de celui-ci et lui donne ainsi plus d'options.

Rétroaction

La rétroaction (on utilise aussi couramment le terme anglais : *feedback*), est la réaction de votre/vos interlocuteurs à votre communication envers eux. La notion de feedback révèle que la communication est un processus interactif. Tenir compte du feedback que l'on produit est indispensable pour pouvoir adapter notre comportement et notre message pour optimiser nos chances d'atteindre un objectif.

Sélection

La sélection est le processus qui consiste à retenir certains aspects de notre expérience et à en éliminer d'autres. Cela nous permet de ne pas être submergés d'informations lorsque nous nous concentrons sur une chose en particulier.

Synchronisation

La synchronisation est la faculté qui nous permet naturellement, donc inconsciemment, de nous adapter à autrui. S'adapter signifie, par exemple, utiliser les mêmes mots que notre interlocuteur (reformulation et utilisation de termes visuels, auditifs ou kinesthésiques), adopter une attitude non verbale proche ou utiliser le même débit de parole. La synchronisation permet d'établir le rapport avec ses interlocuteurs, autrement dit de créer un lien de confiance.

Bateson (Gregory) 1904-1980

Anthropologue, psychologue et éthologue américain. Fils du généticien William Bateson. Influencé par la cybernétique, la théorie des groupes et celle des types logiques, il s'est beaucoup intéressé à la communication (humaine et animale), mais aussi aux fondements de la connaissance des phénomènes humains. Il est à l'origine de ce que l'on appelle l'école de Palo Alto.

Dilts (Robert)

Chercheur en PNL. Robert Dilts faisait partie du groupe initial de chercheurs qui ont créé puis développé la Programmation Neuro Linguistique dans les années 1970. Ses apports sont majeurs dans le domaine de la santé, de la pédagogie et du leadership.

Erickson (Milton) 1901-1980

Né avec un certain nombre de troubles sensoriels et perceptifs congénitaux (daltonisme, dyslexie), survivant à 17 ans à une poliomyélite qui lui laissera de nombreuses et douloureuses séquelles physiques il comprend très vite la relativité des sens de la perception et développe un extraordinaire sens de l'observation. Erickson découvre l'hypnose au cours de ses études médicales. L'approche innovante d'Erickson repose sur la certitude que le patient possède les ressources pour répondre de manière nouvelle aux situations qu'il rencontre : il s'agit d'utiliser ses compétences et ses possibilités d'adaptation personnelles. Pragmatique, Erickson base une partie de son action sur une communication déroutante. Pendant près d'un demi-siècle, Erickson a joué un rôle prépondérant dans le domaine du renouvellement de l'hypnose à laquelle il a donné ses lettres de noblesse aux États-Unis. Il est aussi considéré comme le fondateur du courant de thérapie brève. Les travaux de Milton Erickson ont prouvé que l'inconscient d'un sujet est capable de trouver une réponse personnelle et créative pour résoudre rapidement le problème qui le fait souffrir. Il a notamment influencé les créateurs de la Programmation Neuro Linguistique (PNL) qui se sont beaucoup inspirés de ses travaux.

Lewin (Kurt) 1890-1947

Psychologue allemand émigré aux États-Unis dans les années 1930.

On lui doit l'expression « dynamique de groupe ».

Maslow (Abraham) 1908-1970

Abraham Maslow est un psychologue célèbre considéré comme l'un des principaux meneurs de l'approche humaniste, surtout connu pour son explication de la motivation par la pyramide des besoins qui lui est attribuée.

Mayo (Elton) 1880-1949

Psychologue et sociologue australien à l'origine du mouvement des Relations humaines. Il est considéré comme l'un des pères fondateurs de la sociologie du travail. De ses expérimentations, il a déduit l'importance du climat psychologique sur le comportement et la performance des travailleurs.

Rogers (Carl Random) 1902-1987

Psychopédagogue américain. L'idée fondamentale de cet humaniste est que chaque personne devrait arriver à être soi-même dans n'importe quelle situation au lieu de jouer un rôle. Son apport est majeur dans le domaine de la psychothérapie et de la relation d'aide grâce aux notions d'authenticité, de bienveillance et d'empathie. Il est également à l'origine de l'approche dite non-directive.

Shannon (Claude) 1916-2001

En 1948, il publia un article en deux parties, *A Mathematical Theory of Communication*, qui fut repris en 1949 sous forme de livre avec un ajout de Warren Weaver. Cet ouvrage est centré autour de la problématique de la transmission de l'information d'un émetteur vers un récepteur.

Von Bertalanffy (Karl Ludwig) 1901-1972

Karl Ludwig Von Bertalanffy est un biologiste fondateur de la théorie générale des systèmes.

Wiener (Norbert) 1894-1964

Norbert Wiener était un mathématicien américain, connu pour être le fondateur de la cybernétique. Il a révélé l'importance du feedback dans la communication.

Index

Guillaume LEROUTIER

Coach professionnel certifié, membre de la SICPNL (Société Internationale des Coachs PNL).

Formateur en communication et développement du leadership.

Formé à différentes approches de la communication et du changement (*Programmation Neuro Linguistique, Coaching, Communication orientée vers les solutions*), diplômé en anthropologie culturelle (*Université Laval à Québec*), Guillaume intervient au sein d'organisations diverses dans ses domaines d'expertise : la communication et le travail d'équipe, l'adaptation au changement et le développement du leadership.

Fort de 20 années d'expérience en formation continue dans les entreprises, sa vision est de contribuer avec enthousiasme et simplicité à construire un monde dans lequel les personnes prennent en mains leur destinée personnelle et professionnelle, et où les différences interpersonnelles sont respectées et valorisées.

Voyageur passionné par les relations interculturelles, il est installé au Québec depuis 2000. Il est désormais le dirigeant du CQPNL à Montréal (Centre Québécois de Programmation Neuro Linguistique).

Contact : gleroutier@centrepnl.com
　　　　　edition@gereso.com

IMPRIM'VERT®

Achevé d'imprimer par Dupli-Print - Domont 95330 en janvier 2014
N° d'Impression : 2014010373 - Dépôt légal : octobre 2010 - *Imprimé en France*